KB172004

강력한 단국대 자연계 논술

기출문제

저자 소개

저자 김근현은 현재 탁트인 교육, 일으킨 바람, 에듀코어 대표이다.
前 메가스터디 온라인에서 대입 논술과 면접, 자기소개서, 학생부종합 등 다양한 동영상 강의를 하였다.
현재는 학습 프로그램 개발 및 연구 활동을 통해 교육의 발전을 고민하고 있다.
홍익대학교에서 전자전기공학부를 졸업하고 동대학원에서 전자공학 석사(반도체 레이저)를 전공하였다. 또한 연세대학교 교육경영최고위자 과정을 마쳤으며 연세대학교 교육대학원에서 평생교육 경영을 공부하고 있다.

강력한 단국대 자연계 논술 기출문제

발　행 | 2024년 07월12일
저　자 | 김근현
펴낸이 | 김근현
펴낸곳 | 일으킨 바람
출판사등록 | 2018.11.12.(제2018-000186호)
주　소 | 경기도 고양시 일산서구 하이파크 3로 61 409동 1503호
전　화 | 031-713-7925
이메일 | ileukinbaram@gmail.com

ISBN | 979-11-93208-93-9

www.iluekinbaram.com

강력한 단국대 자연계
논술 기출문제

김 근 현 지음

차례

I. 단국대학교 논술 전형 분석

1. 논술 전형 분석

1) 전형 요소별 반영 비율

전형요소	논술	학생부교과	총합
논술고사	80%	20%	100%

★ 2024학년도부터 개편 :

● 반영 비율 변경

논술(80%)과 학생부 교과 (20%) 비율 바뀜 (기존 : 논술 70%, 학생부 교과 30%)

● 출제 범위 변경

현재 : 수학, 수학I, 수학II, 미적분 (기존 : 수학, 수학I, 수학II, 미적분, 확률과 통계, 기하)

2) 학생부 교과 반영

20%

(ㄱ) 반영교과 및 반영비율

− 자연계열 : 국어, 수학, 영어, 과학 교과 반영

계열(모집단위)	반영교과 및 반영비율(%)					활용지표	비고
	국어	수학	영어	사회	과학		
자연	30	20	30	×	20	석차등급 (9등급) 성취도	• 전학년 동일하게 적용 ▹재학생 : 3학년 1학기까지 ▹졸업생 : 3학년 2학기까지

(ㄴ) 공통과목 및 일반선택과목

구분	등급	1등급	2등급	3등급	4등급	5등급	6등급	7등급	8등급	9등급
변환점수		100	99	98	97	96	95	70	40	0

(ㄷ) 진로선택과목

− 반영교과에 해당하는 전 과목의 성취도를 등급으로 변환하여 반영

성취도	A	B	C
석차등급	1	2	5

- 성취도를 환산등급 표와 같이 석차등급으로 환산 후 석차등급 점수를 부여함
- 성취도 상위 3과목까지만 반영함

(ㄹ) 교과별 석차등급 환산점수 평균 산출 방법

$$\text{변환 점수평균} = \frac{\sum(\text{반영 교과목 석차등급 점수} \times \text{반영교과목 이수단위})}{\sum(\text{반영교과목 이수단위})}$$

(ㅁ) 석차등급 환산 점수 산출 방법

$$\text{석차등급 환산점수} = \sum\left(\text{교과별 석차등급 환산 점수 평균} \times \frac{\text{학생부 교과 반영 비율(\%)}}{100}\right)$$

3) 수능 최저학력 기준

- **없음**

4) 논술 전형 결과

(ㄱ) 2024학년도 논술 전형 결과

고사 타입	모집단위	모집 인원	지원 인원	경쟁률	학생부교과			논술 고사	후보 순위
					최고	평균	최저	평균	
오전	고분자시스템공학부 고분자공학전공	8	212	26.50	3.29	4.42	5.88	59.13	7
	고분자시스템공학부 파이버융합소재공학전공	8	187	23.38	3.64	4.72	6.46	57.06	4
	건축학부 건축학전공(5년제)	10	273	27.30	3.82	4.65	5.74	61.90	4
	건축학부 건축공학전공	9	207	23.00	3.29	4.67	5.79	59.17	5
	소프트웨어학과	19	596	31.37	2.78	4.40	6.15	68.37	8
	컴퓨터공학과	11	354	32.18	2.68	3.87	5.27	65.50	9
	모바일시스템공학과	3	78	26.00	4.79	5.33	5.65	58.33	4
	통계데이터사이언스학과	6	174	29.00	3.19	4.28	6.32	55.17	6
	사이버보안학과	4	103	25.75	3.24	3.93	4.82	62.75	2
	수학교육과	9	152	16.89	3.08	4.30	5.82	70.44	3
	과학교육과	4	79	19.75	4.18	4.52	5.05	73.63	-
오후	전자전기공학과	22	739	33.59	3.17	4.49	6.06	83.14	12
	융합반도체공학과	17	523	30.76	3.14	4.27	5.91	85.50	8
	토목환경공학과	13	327	25.15	3.23	4.42	5.27	73.77	7
	기계공학과	14	446	31.86	4.23	4.89	6.48	81.93	12
	화학공학과	19	525	27.63	2.64	4.15	5.56	77.47	10

(ㄴ) 2023학년도 논술 전형 결과

모집단위		모집인원	경쟁률	내신등급			논술점수			후보순위
				최고	평균	최저	최고	평균	최저	
전자전기공학과		22	20.14	3.45	4.71	6.02	77.50	48.93	37.50	8
융합반도체공학과		17	19.24	3.12	4.87	6.67	61.50	44.41	37.00	12
고분자시스템공학부	고분자공학전공	9	14.67	3.59	4.45	6.08	75.50	53.94	42.00	6
	파이버융합소재공학전공	8	13.13	3.19	4.27	5.31	68.50	59.38	47.50	2
토목환경공학과		14	14.21	3.25	4.65	5.86	81.50	50.29	40.50	6
기계공학과		15	17.73	3.21	4.51	6.23	52.50	40.43	33.00	15
화학공학과		19	16.68	3.11	4.69	7.15	87.00	63.86	48.50	10
건축학부	건축학전공 (5 년제)	10	15.80	3.58	4.65	5.95	65.50	55.75	47.00	1
	건축공학전공	9	16.22	3.53	4.31	5.87	81.50	58.33	45.00	4
소프트웨어학과		19	20.42	3.40	4.58	7.18	82.00	62.71	50.00	12
컴퓨터공학과		11	24.45	3.46	4.40	5.97	71.00	52.25	38.50	10
모바일시스템공학과		3	15.67	4.60	4.86	5.12	72.50	57.50	36.50	3
통계데이터사이언스학과		6	18.33	3.66	4.40	5.38	60.50	46.58	38.50	6
사이버보안학과		4	15.25	2.94	4.25	5.26	54.00	50.00	47.00	1
수학교육과		9	13.44	2.43	3.94	5.90	73.00	63.44	57.50	4
과학교육과 (물리, 생물)		4	16.75	3.91	4.62	5.69	49.50	38.25	34.00	-

(ㄷ) 2022학년도 논술 전형 결과

구분	모집단위	모집 인원	지원 인원	경쟁률	논술 점수	학생부등급		
					평균	평균	최고	최저
오전	고분자시스템공학부 (고분자공학전공)	11	134	12.18	48	5	4	6.43
	토목환경공학과	16	183	11.44	53	5	4	5.91
	화학공학과	19	239	12.58	51	5	3	5.87
	건축학부 [건축학전공 (5년제)]	10	152	15.20	54	4	3	5.52
	건축학부 (건축공학전공)	11	129	11.73	46	5	3	6.29
	소프트웨어학과	19	299	15.74	56	4	3	4.98
	모바일시스템공학과	3	35	11.67	50	4	4	4.62
	산업보안학과	5	63	12.60	55	5	3	6.41
	과학교육과	4	38	9.50	52	5	4	6.51
오전 계		98	1272	12.98	52	5	4	5.84
오후	전자전기공학부	39	539	13.82	45	5	3	5.89
	고분자시스템공학부 (파이버융합소재공학전공)	8	98	12	45	4	4	6.15
	기계공학과	15	189	12.60	40	5	4	5.76
	컴퓨터공학과	11	211	19.18	51	4	3	5.53
	정보통계학과	6	84	14.00	35	4	3	5.54
	수학교육과	9	122	13.56	61	4	3	5.37
오후 계		88	1243	14.13	46	4	3	5.71

(ㄹ) 2021학년도 논술 전형 결과

대학	모집단위		모집	경쟁률	2021학년도 학생부등급			논술성적	최종 후보 순위
					평균	최고	최저	평균	
공과	전자전기공학부		39	21.08	4.28	2.83	5.65	94	19
	고분자 시스템 공학부	고분자공학전공	13	15.54	4.87	4.22	5.92	54	4
		파이버융합소재 공학전공	9	14.67	4.97	3.63	5.85	86	5
	토목환경공학과		17	14.65	4.85	3.70	6.58	54	8
	기계공학과		15	16.93	4.41	3.09	5.90	91	7
	화학공학과		20	17.90	4.33	3.07	5.89	59	6
	건축학부	건축학전공(5년제)	11	17.36	4.67	3.43	6.31	63	3
		건축공학전공	11	13.36	4.64	3.48	7.03	50.73	2
SW 융합	소프트웨어학과		19	19.68	4.47	2.90	6.10	78	4
	컴퓨터공학과		11	21.00	4.81	2.87	5.82	87	9
	모바일시스템공학과		5	15.20	4.89	4.30	5.52	61	-
	정보통계학과		6	20.67	3.91	3.51	4.27	95	2
	산업보안학과		5	14.80	4.21	2.79	5.17	68	1
사범	수학교육과		9	15.89	3.46	2.59	4.26	95	7
	과학교육과		6	15.33	4.64	3.46	6.07	92	1

(ㅁ) 2020학년도 논술 전형 결과

대학	모집단위		2020		학생부등급			논술 성적	후보 순위
			모집 인원	경쟁률	평균	최고	최저	평균	
공과	전자전기공학부		39	31.44	4.49	2.64	6.91	72.90	24
	고분자 시스템 공학부	고분자공학전공	13	22.00	4.64	3.64	6.18	81.04	6
		파이버융합소재 공학전공	9	21.22	4.02	2.52	5.34	80.89	3
	토목환경공학과		18	20.33	4.76	3.22	6.41	82.00	4
	기계공학과		15	28.93	4.08	2.93	5.59	73.37	5
	화학공학과		21	30.19	4.04	2.96	5.43	67.93	7
	건축학부	건축학전공(5년제)	11	24.73	4.36	3.14	5.30	66.14	4
		건축공학전공	11	22.00	4.62	3.29	6.00	88.00	3
SW 융합	소프트웨어학과		19	27.95	4.16	2.83	5.65	84.84	9
	컴퓨터공학과		11	28.91	4.26	3.14	5.54	89.27	5
	모바일시스템공학과		6	27.33	4.72	3.79	5.94	84.83	1
	정보통계학과		6	30.50	3.99	2.93	4.81	70.67	3
	산업보안학과		5	23.40	4.57	4.28	5.09	80.80	4
사범	수학교육과		9	24.11	4.05	3.00	5.03	78.61	5
	과학교육과		7	19.00	4.06	2.69	5.12	74.50	2

1. 논술 분석

구분	인문계열
출제 근거	고교 교육과정 내 출제
출제 범위	수학, 수학I, 수학II, 미적분 **(2024학년도부터 확률과 통계, 기하 제외)**
논술유형	수학 통합형
문항 수	2문항
답안지 형식	문항별 글자수 제한, 원고지형 답안지
고사 시간	120분

1) 출제 구분 : 계열 구분

2) 출제 유형 :

- 고교과정을 이수한 수험생에게 적합하고 대입 시험으로서의 변별력을 갖춘 문제를 출제
- 단순 공식이나 지식의 암기여부를 확인하는 문제는 출제하지 않음
- 지나치게 복잡한 계산 위주의 문제는 출제하지 않음
- 소문항은 제시문을 이해하고 창의력을 발휘하여 논리적인 문제 해결이 가능하도록 출제

3) 출제 및 평가내용 :

- 고교 수학 교과의 기본개념, 원리를 바탕으로 추론, 서술하는 능력을 평가
- 계산능력, 이해능력, 추론능력, 문제해결능력으로 구분하여 평가
- 정확한 답만을 평가하는 것이 아니라 풀이과정 전반을 평가
- 풀이과정의 정도에 따라 수험생에게 부분 점수가 부여

2. 출제 문항 수

구분	인문계
문항수	2문항

3. 시험 시간

· **120분**

4. 논술 유의사항

1. 시험시간은 120분이며, 고사 종료시까지 퇴실할 수 없습니다. (중도퇴실할 경우 결시처리)

2. 문제번호와 답안번호가 반드시 일치하여야 합니다. (일치하지 않을 경우 0점 처리됨)
3. 문제별 답안작성란을 벗어나지 않게 작성하여야 합니다.
4. 답안 작성 시 인적사항 등 답안과 관련 없는 내용을 작성한 경우 0점처리 됩니다.
5. 답안은 반드시 검정색 필기구로 작성하시기 바랍니다.
(연필, 샤프, 빨간색이나 파란색 필기구 사용금지)
6. 답안지는 교체가 불가하오니 원고지 교정부호 또는 수정테이프를 사용하여 수정하시기 바랍니다.
7. 연습지는 대학에서 제공하는 A4용지를 활용하시기 바랍니다.
8. 휴대폰 등 전자기기는 전원을 끄고 비닐백에 넣어 좌석 아래에 보관하시기 바랍니다. 고사 중에 벨소리, 진동, 알람 등의 소리가 울릴 경우 부정행위자로 간주하여 처리합니다.

Ⅱ. 기출문제 분석

1. 출제 경향

학년도	교과목	질문 및 주제
2024학년도 수시 오전	수학 Ⅰ, 수학 Ⅱ, 미적분	적분법, 미분법, 함수의 증가와 감소, 극값
	수학, 수학 Ⅱ, 미적분	미분, 미분법, 함수, 적분법
2024학년도 수시 오후	수학 Ⅱ, 미적분	함수의 그래프, 정적분, 적분법
	수학 Ⅱ, 미적분	변곡점, 함수의 그래프, 극값
2024학년도 모의	수학 Ⅰ, 수학 Ⅱ, 미적분	도함수, 함수의 극대, 극소, 극값, 적분법
	수학 Ⅱ, 미적분	연속함수, 함수의 극값, 정적분의 성질
2023학년도 수시 오전	수학Ⅱ, 미적분	등비급수, 함수의 극대와 극소, 치환적분법, 부분적분법
	수학Ⅱ, 미적분	함수의 극대와 극소, 함수의 그래프 개형, 부분적분법
2023학년도 수시 오후	수학 Ⅰ, 수학Ⅱ, 미적분	등비수열, 접선의 방정식, 함수의 극대와 극소, 정적분과 급수의 합
	수학, 수학 Ⅱ, 미적분	정적분, 치환적분법, 접선의 방정식, 함수의 그래프 개형
2023학년도 모의	수학, 수학 Ⅱ, 미적분	수열의 성질, 도함수, 극값, 내분점, 다항함수의 정적분
	수학Ⅱ	정적분과 도함수의 관계, 도함수의 개념, 그래프의 개형

<table>
<tr><th>학년도</th><th>교과목</th><th>질문 및 주제</th></tr>
<tr><td rowspan="2">2022년도
수시 오전</td><td>수학Ⅱ, 미적분</td><td>미분법, 함수의 극대와 극소, 적분법, 정적분</td></tr>
<tr><td>수학 Ⅱ, 미적분</td><td>미분법, 함수의 극대와 극소</td></tr>
<tr><td rowspan="2">2022년도
수시 오후</td><td>수학 Ⅱ, 미적분</td><td>극한, 미분법, 함수의 극대와 극소, 적분법,
정적분</td></tr>
<tr><td>수학 Ⅱ, 미적분</td><td>미분법, 함수의 극대와 극소, 적분법, 정적분</td></tr>
<tr><td rowspan="2">2022년도
모의</td><td>수학, 수학 Ⅱ</td><td>유리함수, 정적분, 부정적분, 미분가능성</td></tr>
<tr><td>수학Ⅱ, 미적분</td><td>접선의 방정식, 다항함수, 그래프의 개형, 극값</td></tr>
<tr><td rowspan="2">2021학년도
수시 오전</td><td>미적분, 수학, 수학 Ⅱ</td><td>접선의 방정식, 함수의 극대와 극소,
적분법, 정적분</td></tr>
<tr><td colspan="2">[문제 2] 2024학년부터 ‘확률과 통계’ 시험 범위 제외로 생략</td></tr>
<tr><td rowspan="2">2021학년도
수시 오후</td><td colspan="2">[문제 1] 2024학년부터 ‘확률과 통계’ 시험 범위 제외로 생략</td></tr>
<tr><td>미적분, 수학, 수학 Ⅱ</td><td>함수의 극대와 극소, 적분법, 정적분의 활용</td></tr>
<tr><td rowspan="2">2021학년도
수시 모의</td><td>미적분, 수학, 수학 Ⅱ</td><td>극값, 정적분, 다항함수, 치환적분, 부분적분</td></tr>
<tr><td colspan="2">[문제 2] 2024학년부터 ‘확률과 통계’ 시험 범위 제외로 생략</td></tr>
</table>

2. 출제 의도

<table>
<tr><th>학년도</th><th>출제의도</th></tr>
<tr><td rowspan="2">2024학년도
수시 오전</td><td>[논제 1] 정적분을 이용하여 도형의 넓이를 구할 수 있는지를 평가
[논제 2] 미분의 개념을 이해하고 있는지를 평가
[논제 3] 극값의 개념을 이해하고 있는지를 평가</td></tr>
<tr><td>[논제 1] 도함수의 성질을 활용하여 함수의 그래프 개형을 그릴 수 있는지를 평가
[논제 2] 치환적분법을 이해하고 있는지를 평가</td></tr>
<tr><td rowspan="2">2024학년도
수시 오후</td><td>[논제 1] 정적분을 구할 수 있는지를 평가
[논제 2] 함수의 그래프의 개형으로부터 함수의 특성을 이해할 수 있는지를 평가
[논제 3] 부분적분법과 치환적분법을 활용할 수 있는지를 평가</td></tr>
<tr><td>[논제 1] 곡선의 변곡점을 이해하고 활용할 수 있는지를 평가
[논제 2] 함수의 극대 극소를 활용하여 그래프의 개형을 이해하는지를 평가</td></tr>
<tr><td rowspan="2">2024학년도
모의</td><td>[논제 1] 도함수를 활용하여 함수의 극대 극소를 판별할 수 있는지를 평가
[논제 2] 함수의 그래프를 활용하여 극값을 구할 수 있는지를 평가
[논제 3] 근과 계수와의 관계를 활용하여 적분을 해결할 수 있는지를 평가</td></tr>
<tr><td>[논제 1] 연속함수의 개념을 이해하여 문제를 해결할 수 있는지를 평가
[논제 2] 함수의 극값을 이해하고 정적분의 성질을 활용하여 문제를 해결할 수 있는지를 평가</td></tr>
<tr><td rowspan="2">2023학년도
수시 오전</td><td>[논제 1] 그래프를 활용하여 함수의 최댓값과 최솟값을 판정할 수 있는지를 평가
[논제 2] 함수의 연속과 미분을 활용하여 그래프의 개형을 분석할 수 있는지를 평가
[논제 3] 치환적분법, 부분적분법, 급수의 합을 이해하고 있는지를 평가</td></tr>
<tr><td>[논제 1] 미분을 활용하여 함수의 증가와 감소를 판단할 수 있는지를 평가
[논제 2] 부분적분법을 이해하고 활용할 수 있는지를 평가</td></tr>
</table>

2023학년도 수시 오후	[논제 1] 함수의 극값의 개념을 이해하고 있는지를 평가 [논제 2] 최대-최소 개념을 이해하고 응용할 수 있는지를 평가 [논제 3] 정적분과 급수의 합 사이의 관계를 이해하고 있는지를 평가
	[논제 1] 정적분의 성질을 활용할 수 있는지를 평가 [논제 2] 미분을 활용하여 접선의 방정식, 방정식의 실근의 개수를 구할 수 있는지를 평가
2023학년도 모의	[논제 1] 수열의 성질을 이해하여 문제를 해결할 수 있는지를 평가 [논제 2] 도함수의 성질을 이용하여 극값을 판정할 수 있는지를 평가 [논제 3] 내분점의 개념을 이해하고 다항함수의 정적분을 활용할 수 있는지를 평가
	[논제 1] 정적분과 도함수 사이의 관계를 이해하고 이를 활용할 수 있는지를 평가 [논제 2] 도함수의 개념을 이해하고 이를 활용할 수 있는지를 평가
2022학년도 수시 오전	[논제 1] 도함수의 개념을 이해하고 이를 활용할 수 있는지를 평가 [논제 2] 치환적분법을 이해하고 이를 활용할 수 있는지를 평가 [논제 3] 정적분의 개념을 이해하고 이를 활용할 수 있는지를 평가
	[논제 1] 미분을 활용하여 실근의 개수를 구할 수 있는지를 평가 [논제 2] 미분의 개념을 이해하고 이를 활용할 수 있는지를 평가
2022학년도 수시 오후	[논제 1] 역함수의 미분법을 활용할 수 있는지를 평가 [논제 2] 함수의 극한을 이해하고 있는지를 평가 [논제 3] 극값을 판정하고 치환적분을 할 수 있는지를 평가
	[논제 1] 매개변수를 이해하고 극값을 판정할 수 있는지를 평가 [논제 2] 정적분의 성질과 부분적분법을 활용할 수 있는지를 평가
2022학년도 모의	[논제 1] 유리함수의 특징을 이해하고 있는지를 평가 [논제 2] 정적분과 부정적분 사이의 관계를 이해하고 있는지를 평가 [논제 3] 함수의 미분가능성의 개념을 이해하고 있는지를 평가
	[논제 1] 접선의 방정식의 개념을 이해하고 있는지를 평가 [논제 2] 극값의 개념을 이해하고 있는지를 평가

<table>
<tr><td rowspan="2">2021학년도
수시 오전</td><td>[논제 1] 적분법을 이해하고 있는지를 평가
[논제 2] 극값의 개념을 이해하고 이를 활용할 수 있는지를 평가
[논제 3] 함수의 개념과 접선의 성질을 이해할 수 있는지를 평가</td></tr>
<tr><td>[문제 2] 2024학년부터 ‘확률과 통계’ 시험 범위 제외로 생략</td></tr>
<tr><td rowspan="2">2021학년도
수시 오후</td><td>[문제 1] 2024학년부터 ‘확률과 통계’ 시험 범위 제외로 생략</td></tr>
<tr><td>[논제 1] 부분적분법을 이해하고 활용할 수 있는지를 평가
[논제 2] 극대, 극소의 개념을 이해하고 있는지를 평가</td></tr>
<tr><td rowspan="2">2021학년도
모의 논술</td><td>[논제 1] 함수의 극값에 관한 문제를 해결할 수 있는지를 평가
[논제 2] 정적분의 개념과 다항함수의 구조에 관한 문제를 해결할 수 있는지를 평가
[논제 3] 치환적분법과 부분적분법을 활용하여 적분문제를 해결 할 수 있는지를 평가</td></tr>
<tr><td>[문제 2] 2024학년부터 ‘확률과 통계’ 시험 범위 제외로 생략</td></tr>
</table>

3. 기출 연도별 교과 관련 경향

학년도별 출제 여부 고등학교 교육과정 내용			2015 개정 교육과정							
교과목	영역	내용	24 오전	24 오후	23 오전	23 오후	22 오전	22 오후	21 오전	21 오후
수학	다항식	다항식의 연산								
		나머지정리								
		인수분해								
	방정식과 부등식	복소수와 이차방정식								
		이차방정식과 이차함수								
		여러 가지 방정식								
		여러 가지 부등식								
	도형의 방정식	평면좌표								
		직선의 방정식								
		원의 방정식				○				
		도형의 이동								
	집합과 명제	집합								
		명제								
	함수	함수	○							
		유리함수와 무리함수								
	경우의 수	경우의 수								
수학 Ⅰ	지수함수와 로그함수	지수								
		로그								
		지수함수와 로그함수								
	삼각함수	삼각함수	○							
		사인법칙과 코사인법칙								
	수열	등차수열과 등비수열				○				
		수열의 합								
		수학적 귀납법								

학년도별 출제 여부 고등학교 교육과정 내용			2015 개정 교육과정							
교과목	영역	내용	24 오전	24 오후	23 오전	23 오후	22 오전	22 오후	21 오전	21 오후
수학 Ⅱ	함수의 극한과 연속	함수의 극한						○		
		함수의 연속			○			○		
	미분	미분계수와 도함수	○	○			○	○		
		도함수의 활용	○	○	○	○	○	○	○	○
	적분	부정적분과 정적분				○				
		정적분의 활용	○							
미적분	수열의 극한	수열의 극한			○					
		급수			○					
	미분법	여러 가지 함수의 미분			○			○		
		여러 가지 미분법		○			○	○		
		도함수의 활용	○	○	○		○	○	○	
	적분법	여러 가지 적분법	○	○	○	○	○	○	○	○
		정적분의 활용				○	○			○

III. 논술이란?

1. 논술이란?

1) 논술이란?

어떤 문제에 대해 자기 나름의 주장이나 견해를 내세운 다음, 여러 가지 근거를 제시하여 그 주장이나 견해가 옳음을 증명하는 글쓰기 활동을 말한다. 따라서 논술의 가장 기본적인 요소는 주장과 근거이다. 다시 말해 어떤 주제에 관해서 자신의 견해를 밝히고 자기 의견을 내세우는 글이 바로 논술이다. 때문에 논술은 특별히 논리적이어야 한다는 요구를 받게 된다. 왜냐하면 여러 가지 의견이 있을 수 있는 문제에 대해 자신의 의견을 세워 다른 사람을 설득하려면, 그 주장이 충분한 근거 위에서 논리적으로 개진될 때만 가능하기 때문이다.

2) 대한민국 논술고사는?

한국에서의 대학 입시 논술고사는 실제 교과 과정과 교과서가 기본이 되어 응용된 사고와 풀이 능력과 지식을 바탕으로 한다. 논술고사는 일반적을 비판적으로 글을 읽는 능력과 창의적으로 문제를 설정하고 해결하는 능력 그리고 논리적으로 서술하는 능력을 종합적으로 평가하는 시험이다. 비판적으로 글을 읽는다는 것은 능동적으로 자신의 관점에서 글을 읽는 것을 말하며, 창의적으로 문제를 설정하고 해결하는 능력이란 심층적이고 다각적으로 논제에 접근함으로써 독창적인 사고와 풀이를 이끌어낼 수 있는 능력을 말한다. 그리고 논리적 서술 능력은 글 구성 능력, 근거 설정 능력, 표현 능력 등을 포괄한다.

3) 자연계 논술? 그리고 그 변화

모든 글은 일반적으로 3가지 종류로 나뉘어진다. 시, 소설 등 문학 작품과 같은 글쓰기인 창작적 글쓰기(creative writing)와 설명문이나 해설문의 글쓰기는 해명적 글쓰기(expository writing), 그리고 논설문의 글쓰기인 비판적 글쓰기(critical writing)가 있다. 이 글쓰기 중 대한민국의 대학입시에서 시행되고 있는 자연계 논술은 창작적 글쓰기는 포함되지 않는다. 새로운 문학 작품을 쓰는게 아니라 제시문을 읽고 내용을 구체화시켜 잘 설명하는 설명문의 형태가 있고, 주어진 문제에 대해 생각하고 깊이있는 주장을 피력하는 비판적 글쓰기도 있다.

2. 논술의 기본 용어

1) 논제 : 논술의 문제를 의미한다.

반드시 해결하고 접근하여야 할 논술 시험의 대상이다.

(ㄱ) 중심 논제 : 채점할 때 가장 배점이 높으며, 핵심적으로 해결해야 할 논술의 문제

(ㄴ) 세부 논제 : 큰 논제 속에 포함된 작은 문제, 각 단계별 채점의 기준이 되며 세부 채점 항목으로 필수 해결 항목이다.

2) 논거 : 논술에서 설명하고 주장하는 논리적인 근거 혹은 이유

3) 주장 : 수험생이 생각하고 채점자에게 알리고 싶은 생각

4) 제시문 : 보기 지문을 말한다.

(ㄱ) 출제자가 논제 해결을 위해 보여주는 다양한 글

(ㄴ) 각종 그래프, 도표, 그림 등

자료가 정해져 있지는 않다. 하지만 고등학교 교과서를 가장 많이 인용하고, 고등학교 교과 과정으로 분석하고 판단할 수 있는 내용을 제시한다.

5) 개요 : 논제에 맞게 더 구체적으로는 세부 논제에 맞게 글의 진행 방향을 간략하게 정리하는 과정이다.

4. 논술의 명령어

논술고사 후 대학의 발표 자료를 보면 논술은 출제자의 의도에 부합하게 글을 써야 한다고 강조한다. 그런데 출제자의 의도를 파악하는 것은 자칫 상당히 모호하고 주관적인 것으로 판단하기 쉽다.

하지만 자연계 논술에서는 명령어가 한정되어 있다. 그 명령어들을 잘 익히고 의미를 파악한다면 훨씬 논술의 이해가 높아질 것이다. 또한 대학의 채점 기준에는 명령어의 요구 조건을 충족하는지를 평가한다. 그러므로 자연계 논술의 명령어는 수험생에게는 아주 기초적이지만 필수적이며 절대 잊지 말아야 할 중요한 핵심이다.

1) ~ 에 대해 논술하시오.

; 주장을 밝히고 근거를 제시한다.

2) ~ 에 대해 설명하시오.

: 사실, 주장 등을 쉽게 풀어서 밝힌다.

- **~ 제시문 간의 관련성을 설명하시오.**
- **~ 제시문의 논리적 타당성과 문제점을 설명하시오.**
- **~ 제시문을 참고하여 주어진 자료의 특징을 설명하시오.**
- **~ 제시문의 관점에서 왜 그런 현상이 생기는지 그 이유를 설명하시오.**

3) ~ 의 비교하시오. 혹은 대조하시오.

: 공통점과 차이점을 중심으로 설명한다.

- **~ 공통점과 차이점을 설명하시오.**

4) ~ 을 분석하시오.

: 주제를 구성요소로 나누고 각 부분의 의미와 상호관계를 밝힌다.

5) ~ 제시문과 주어진 자료를 참고하여 현상을 예측해 보시오.

: 주어진 자료를 해석하고 자료로부터 얻을 수 있는 시간에 따른 변화나 자료의 발생 이유를 살핀다.

6) ~ 제시문의 문제점을 지적하고 그 문제점을 해결할 방법을 제시하시오.

: 보통은 수학이나 과학의 역사에서 발생했던 여러 오류나 실험과정에서 나타난

문제점을 가지고 있다. 또한 이론이나 실험, 학생의 실험보고서 등과 같이 확실한 오류가 있는 제시문을 주기도 한다. 분명히 문제점을 파악하여 답안에 서술하고 문제점이나 해결할 수 있는 방법 등을 명확히 하여야 한다.

● ~ 제시문의 관점에서 왜 그런 현상이 생기는지 그 원리를 설명하고 그런 현상을 예방할 수 있는 방안을 제시하시오.
● ~ 문제점을 지적하고 합리적 대안을 제안해 보시오.
● ~ 주어진 관점을 검증할 수 있는 방법을 논하시오.
● ~ 주어진 문제점을 해결할 수 있는 실험을 설계해 보시오.

7) 제시문의 관점에서 주장을 비판하시오.

: 어떤 주장의 타당성이나 가치 등을 평가한다.

5. 자연계 논술 글쓰기 유의사항

① 논제의 해결이 핵심이다. 출제자가 원하는 답을 써야 한다.

② 논제에 부합하는 글을 일관성 있게 써야 한다.

③ 한편의 글을 완성하여야 한다. 나열하거나 사례를 보여주는 것은 의미가 없다.

④ 제시문을 활용, 인용하는 것과 제시문을 그대로 옮겨 쓰는 것은 다르다. 적절하게 제시문의 내용을 사용하여 논제를 해결하여야 한다. 절대 제시문의 문장을 그대로 쓰면 안 된다. 금기사항이고 감점요인이다.

⑤ 부적절한 문장 즉, 비문을 만들지 말아야 한다. 주어와 서술어가 적절하게 있어 문장의 의미를 명확히 전달하여야 한다. 주어를 생략하거나 지시어를 과도하게 사용하면 문장의 의미가 모호해 진다.

⑥ 문장은 짧고 간결하게 써야 한다. 자신의 의견을 명확히 간결하고 효과적으로 밝혀야 한다.

6. 논술 확인 사항

1. 답안지는 지급된 흑색 볼펜으로 원고지 사용법에 따라 작성하여야 합니다.
(수정액 및 수정테이프 사용 금지)
2. 수험번호와 생년월일을 숫자로 쓰고 컴퓨터용 사인펜으로 ● 표기하여야 합니다.
3. 답안의 작성 영역을 벗어나지 않도록 각별히 유의 바라며, 인적사항 및 답안과
. 관계없는 표기를 하는 경우 결격 처리 될 수 있습니다.
4. 제시된 작성 분량 미 준수 시 감점 처리됨을 유의 바랍니다.

Ⅳ. 자연계 논술 실전

1. 각 대학별 논술 유의사항을 파악하라!

많은 대학에서 글자수 제한을 확인하여야 한다. 그래서 원고지 형이 많지만, 문항별 칸을 만들거나 밑줄 답안 형식도 있다. 논술 시험 시간은 각 대학별로 다양하다. 60분 즉, 한 시간을 시작으로 많게는 2시간까지 (120분)까지 다양하게 있다. 대학별로 준비해야 하는 중요한 이유이다. 답안을 작성하는 필기구도 다양하다. 연필(샤프펜)의 사용이 꾸준히 증가하지만 아직까지 검정색 볼펜이나 청색 볼펜으로 사용하는 학교도 많다. 주의할 것은 수정법이다. 수정은 학교에 따라 수정액, 수정테이프의 사용을 제한하는 경우도 있고 틀리면 두줄을 긋고 써야 하는 곳도 있다. 그러므로 각 대학별 특징을 파악하고, 미리 답안 작성 연습은 물론이고 작성할 때도 대학별로 금지하는 내용을 숙지하고 시험장에 가야 한다.

각 대학별 유의사항 사례

사례 1)

가. 답안은 한글로 작성하되, 글자수 제한은 없다.
나. 제목은 쓰지 말고 특별한 표시를 하지 말아야 한다.
다. 제시문 속의 문장을 그대로 쓰지 말아야 한다.
라. 반드시 본 대학교에서 지급한 필기구를 사용하여야 한다.
마. 수정할 부분이 있는 경우 수정도구를 사용하지 말고 원고지 교정법에 의하여 교정하여야 한다.
바. 본 대학교에서 지급한 필기구를 사용하지 않거나, 수정도구를 사용한 경우, 답안지에 특별한 표시를 한 경우, 또는 원고지의 일정분량 이상을 작성하지 않은 경우에는 감점 또는 0점 처리한다.

사례 2)

Ⅰ. 필요한 경우 한 개 또는 여러 개의 제시문을 선택하여 논의를 전개하고, 사용한 제시문은 꼭 참고문헌 형태로 표시하시오.
예) …[제시문 1-4].
예) …되며[제시문 2-4], …의 경우는 ~을 보여준다[제시문 2-1].
Ⅱ. [문제 1]부터 [문제 4]까지 문제 번호를 쓰고 순서대로 답하시오.
Ⅲ. 연필을 사용하지 말고, 흑색이나 청색 필기구를 사용하시오.
Ⅳ. 인적사항과 관련된 표현을 일절 쓰지 마시오.
Ⅴ. 문제당 배점은 동일함.

사례 3)

◇ 각 문제의 답안은 배부된 OMR 답안지에 표시된 문제지 번호에 맞춰 작성하시오.
◇ 각 문제마다 정해진 글자수(분량)는 띄어쓰기를 포함한 것이며, 정해진 분량에 미달하

거나 초과하면 감점 요인이 됩니다.
◇ 답안지의 수험번호는 반드시 컴퓨터용 수성 사인펜으로 표기하시오.
◇ 답안은 검정색 필기구로 작성하시오. (연필 사용 가능)
◇ 답안 수정시 원고지 교정법을 활용하시오. (수정 테이프 또는 연필지우개 사용 가능)
◇ 답안 내용 및 답안지 여백에는 성명, 수험번호 등 개인 신상과 관련된 어떤 내용, 불필요한 기표하면 감점 처리됩니다.

사례 4)
◆ 답안 작성 시 유의사항 ◆
□ 논술고사 시간은 90분이며, 답안의 자수 제한은 없습니다.
□ 1번 문항의 답은 답안지 1면에 작성해야 하고, 2번 문항의 답은 답안지 2면에 작성해야 합니다. 1, 2번을 바꾸어 작성하는 경우 모두 '0점 처리'됩니다.
□ 연습지는 별도로 제공하지 않습니다. 필요한 경우 문제지의 여백을 이용하시기 바랍니다.
□ 답안은 검정색 또는 파란색 펜으로만 작성하며 연필, 샤프는 사용할 수 없습니다.
□ 답안 수정은 수정할 부분에 두 줄로 긋거나 수정테이프(수정액은 사용 불가)를 사용해서 수정합니다.
□ 답안지에는 답 이외에 아무 표시도 해서는 안 됩니다.
□ 답안지 교체는 고사 시작 후 70분까지 가능하며, 그 이후는 교체가 불가합니다.

2. 제시문에 먼저 눈을 두지 말고 문제를 파악하라!!!

대학별 고사인 논술의 어려운 점은 시간의 제한이 있는 글쓰기 시험이라는 것이다. 자유롭게 잘 쓸 수 있는 내용일지라도 시간의 제한이 있으면 얘기가 달라진다. 특히 지금과 같이 각 대학별로 다양하게 등장하는 시험에 익숙하지 않은 수험생에게는 더 큰 부담으로 작용을 한다.

대학에서는 다양하게 제시문과 문제를 분포시킨다. 문제를 등장시키고 제시문이 등장하는 경우, 그림과 도표, 그래프 등과 같이 자료를 제시하고 제시문과 문제를 함께 등장시키는 경우, 제시문을 많이 등장시키고 마지막에 문제를 제시하는 경우 등... 이렇듯 다양한 문제에 시간의 적절한 활용은 대학별 고사의 실전에서는 당락을 결정하는 중요 요소이다.

이러한 실전적 논술에서 핵심은 바로 목적을 가지고 제시문의 읽기가 선행되어야 한다. 글 읽기의 핵심은 문제을 통해 논제를 구체적으로 파악하고 그 논제에 부합하게 제시문을 분석하는 것이다.

① 문제를 먼저 확인하라!! - 제시문을 읽고 문제를 보면 다시 긴 제시문을 또 읽어 시간을 낭비한다.
② 세부 논제 확인하라!! - 한 문제라도 그 문제 속에 다루는 논제는 여러 개가 될 수 있

다. 그 질문 내용을 파악하라. 그리고 요구한 논제에 맞게 글을 구성한다.
③ 전제적 요건 파악하라!! - 각 문제의 전제적 요건 및 글로 표현된 부연 설명 등이 중요한 키워드가 될 수 있다.

Ⅴ. 단국대학교 기출

1. 2024학년도 단국대 수시 논술 (오전)

[문제 1] 다음 제시문을 읽고 질문에 답하시오. (55점)

<제시문>

(가) 함수 $y=f(x)$에서 평균변화율의 극한값 $$\lim_{\Delta x \to 0} \frac{f(a+\Delta x)-f(a)}{\Delta x}$$ 가 존재하면 $y=f(x)$는 $x=a$에서 미분가능하다고 한다.
(나) 함수 $f(x)$가 닫힌구간 $[a, b]$에서 연속, $f(x) \ge 0$이고, $f(a)=f(b)=0$일 때, 곡선 $y=f(x)$와 x축으로 둘러싸인 도형의 넓이 S는 $$S=\int_a^b f(x)dx$$
(다) 함수 $f(x)$에서 $x=a$를 포함하는 어떤 열린구간에 속하는 모든 x에 대하여 $f(x) \le f(a)$이면 함수 $f(x)$는 $x=a$에서 극대, 그 때의 함숫값 $f(a)$를 극댓값이라고 하고, $f(x) \ge f(a)$이면 함수 $f(x)$는 $x=a$에서 극소, 그 때의 함숫값 $f(a)$를 극솟값이라고 하며, 극댓값과 극솟값을 통틀어 극값이라고 한다.

$-\frac{\pi}{2}<x<\frac{\pi}{2}$일 때 함수 $f(x)$를

$$f(x)=||\tan x|-1|$$

이라 하고, 삼차함수 $p(x)$는 다음 조건을 만족시킨다.

(1) 함수 $g(x)=f(x)p(x)$는 구간 $\left(-\frac{\pi}{2}, \frac{\pi}{2}\right)$에서 미분가능하다.
(2) 함수 $h(x)=\lvert\tan x+p(x)\rvert$는 $x=0$에서 미분가능하다.

[논제 1] 곡선 $y=f(x)$와 x축으로 둘러싸인 영역의 넓이를 구하시오. (15점)

[논제 2] 삼차함수 $p(x)$를 구하시오. (20점)

[논제 3] 구간 $\left(-\frac{\pi}{2}, \frac{\pi}{2}\right)$에서 다음 조건을 만족시키는 상수 a의 개수를 구하시오. (20점)

함수 $h(x)$는 $x=a$에서 극값을 갖는다.

[문제 2] 다음 제시문을 읽고 질문에 답하시오. (45점)

<제시문>

(가) 함수 $f(x)$가 닫힌구간 $[a,\ b]$에서 연속이고 열린구간 $(a,\ b)$에서 미분가능할 때,

- $(a,\ b)$에서 $f'(x)>0$이면 함수 $f(x)$는 $[a,\ b]$에서 증가,
- $(a,\ b)$에서 $f'(x)<0$이면 함수 $f(x)$는 $[a,\ b]$에서 감소

한다.

(나) 함수 $f(x)$가 어떤 구간에서

- $f''(x)>0$이면 곡선 $y=f(x)$는 그 구간에서 아래로 볼록
- $f''(x)<0$이면 곡선 $y=f(x)$는 그 구간에서 위로 볼록

하다.

(다) 두 함수 $f(x)$, $g(x)$의 합성함수 $h(x)=(f\circ g)(x)=f(g(x))$에 대해서 함수 $f(x)$의 역함수 $f^{-1}(x)$가 존재할 때 $g(x)=(f^{-1}\circ h)(x)$이다.

(라) 미분가능한 함수 $g(x)$의 도함수 $g'(x)$가 닫힌구간 $[a,\ b]$를 포함하는 열린구간에서 연속이고, 함수 $f(x)$가 $g(a)$와 $g(b)$를 양 끝으로 하는 열린구간에서 연속일 때

$$\int_a^b (f\circ g)(x)g'(x)dx=\int_{g(a)}^{g(b)} f(t)dt \cdots\cdots\cdots\cdots (*)$$

$\alpha(x)=\int_a^x (f\circ g)(t)g'(t)dt$, $\beta(x)=\int_{g(a)}^x f(t)dt$라 할 때, 식$(*)$은

$$\alpha(b)=(\beta\circ g)(b)$$

와 같다.

실수 전체의 집합에서 정의된 함수 $f(x)=\dfrac{e^x}{e^x+1}$에 대하여

$$\alpha(x)=\int_0^x \sqrt{f(t)}\,dt$$

이고, $-1<x<1$일 때

$$\beta(x)=\int_c^x \frac{2}{1-t^2}dt,\quad c=\sqrt{f(0)}=\sqrt{\frac{1}{2}}$$

[논제 1] 좌표평면 위의 세 점 $\mathrm{A}(-k,\ 0)$, $\mathrm{B}(k,\ 0)$, $\mathrm{C}(k,\ 1)$을 꼭짓점으로 하는 삼각형 ABC의 세 변과 곡선 $y=f(x)$가 서로 다른 네 점에서 만나도록 하는 상수 k의 범위를 구하시오. (단, $k>0$) (20점)

[논제 2] 제시운 (라)를 참조하여, $(\beta^{-1}\circ\alpha)(\ln 2)$의 값을 구하시오. (25점)

DKU 단국대학교 DANKOOK UNIVERSITY

답안지 (자연계열)

수험번호							
0	0	0	0	0	0	0	0
1	1	1	1	1	1	1	1
2	2	2	2	2	2	2	2
3	3	3	3	3	3	3	3
4	4	4	4	4	4	4	4
5	5	5	5	5	5	5	5
6	6	6	6	6	6	6	6
7	7	7	7	7	7	7	7
8	8	8	8	8	8	8	8
9	9	9	9	9	9	9	9

※ 감독관 확인란	고교명	성 명
감독관 성명 :		

【유의사항】

1. 수험생 작성란 이외의 부분을 작성하거나, 답안에 개인정보(학교명, 성명 등)를 유출시킬 수 있는 불필요한 표시 등이 있는 경우 부정행위로 간주하여 처리됩니다.
2. 수험생 인적사항과 답안은 반드시 검정색 필기구(연필, 샤프 사용불가)로 작성하십시오. (빨간색이나 파란색 사용금지)
3. 답안지는 교체가 불가합니다. 원고지 교정부호 또는 수정테이프를 사용하여 수정하시기 바랍니다.

※ 부분은 수험생이 작성하지 마십시오.

문제 1번 (반드시 해당문제와 일치하여야 하며, [논제1], [논제2], [논제3] 번호를 명시하고 답안을 작성하여야 함)

이 줄 아래는 답안 작성을 하지 마십시오.

문제 2번 (반드시 해당문제와 일치하여야 하며, [논제1], [논제2] 번호를 명시하고 답안을 작성하여야 함)

이 줄 아래는 답안 작성을 하지 마십시오.

2. 2024학년도 단국대 수시 논술 (오후)

[문제 1] 다음 제시문을 읽고 질문에 답하시오. (55점)

<제시문>

(가) 미분가능한 함수 $f(x)$에 대하여 $$\int \frac{f'(x)}{f(x)}dx = \ln\lvert f(x)\rvert + C, \quad C\text{는 적분상수}$$
(나) 미분가능한 함수 $f(x)$가 $f'(a)=0$이고 $x=a$의 좌우에서 • $f'(x)$의 부호가 양에서 음으로 바뀌면 $f(x)$는 $x=a$에서 극댓값 • $f'(x)$의 부호가 음에서 양으로 바뀌면 $f(x)$는 $x=a$에서 극솟값 을 갖는다.
(다) 미분가능한 함수 $g(x)$에 대하여 $g(x)=t$로 놓으면 $$\int f(g(x))g'(x)dx = \int f(t)dt$$
(라) 두 함수 $f(x)$, $g(x)$가 미분가능할 때 $$\int f(x)g'(x)dx = f(x)g(x) - \int f'(x)g(x)dx$$

두 함수 $f(x)$와 $g(x)$를

$$f(x) = \int_1^x \frac{2t}{t^2+3}dt, \quad g(x) = ax + \frac{8}{x^2+3}$$

라 하자. (단, a는 상수)

[논제 1] 곡선 $y=f(x)$가 x축과 만나는 두 점과 곡선 $y=f(x)$위의 점 $(t,\ f(t))$를 세 꼭짓점으로 하는 삼각형의 넓이가 $\ln\frac{4}{3}$가 되는 상수 t의 값을 모두 구하시오. (15점)

[논제 2] 다음 조건을 만족시키는 실수 a의 범위를 구하시오. (20점)

함수 $g(x) = ax + \frac{8}{x^2+3}$는 $x=\alpha,\ \beta(\alpha<\beta)$에서만 극값을 갖고, $g(\alpha) > g(\beta)$이다.

[논제 3] 실수 전체의 집합에서 미분가능한 함수 $h(x)$는 다음 조건을 만족시킨다.

(1) $h(0)+g''(0)=f(-1)$ (2) $h(1)+g(1)=g'(-1)$ (3) $\int_0^1 \frac{h'(x)}{x^2+3}dx = -1$

정적분 $\int_0^{\frac{\pi}{2}} \frac{\sin 2x h(\cos x)}{(3+\cos^2 x)^2}dx$의 값을 구하시오. (20점)

[문제 2] 다음 제시문을 읽고 질문에 답하시오. (45점)

<제시문>

(가) 연속인 이계도함수를 갖는 함수 $f(x)$에 대하여 $f''(a)=0$이고, $x=a$의 좌우에서 $f''(x)$의 부호가 바뀌면 점 $(a,\ f(a))$는 곡선 $y=f(x)$의 변곡점이다.

(나) 극한값 $\lim_{\Delta x \to 0} \frac{f(a+\Delta x)-f(a)}{\Delta x}$가 존재하면 함수 $f(x)$는 $x=a$에서 미분가능하다고 하고 $x=a$에서의 미분계수 $f'(a)$는

$$f'(a)=\lim_{\Delta x \to 0} \frac{f(a+\Delta x)-f(a)}{\Delta x}=\lim_{x \to a} \frac{f(x)-f(a)}{x-a}$$

(다) 미분가능한 함수 $f(x)$가 $f'(a)=0$이고 $x=a$의 좌우에서

- $f'(x)$의 부호가 양에서 음으로 바뀌면 $f(x)$는 $x=a$에서 극대이고, 극댓값은 $f(a)$
- $f'(x)$의 부호가 음에서 양으로 바뀌면 $f(x)$는 $x=a$에서 극소이고, 극솟값은 $f(a)$ 이다.

(라) 두 함수 $y=f(u)$와 $u=g(x)$가 미분가능할 때 합성함수 $y=f(g(x))$의 도함수는

$$y'=\{f(g(x))\}'=f'(g(x))g'(x)$$

(마) 함수 $f(x)$가 $x=a$에서 극값을 갖고 a를 포함하는 어떤 열린구간에서 미분가능하면

$$f'(a)=0$$

[논제 1] 최고차항의 계수가 음수인 이차함수 $f(x)$에 대하여 함수 $g(x)$를

$$g(x)=f(x)e^{x}$$

라 하자. 다음 조건을 만족시키는 $f(1)$의 최댓값을 구하시오. (20점)

(1) 곡선 $y=g(x)$는 두 개의 변곡점 $(-5,\ g(-5))$, $(1,\ g(1))$을 갖는다.
(2) 모든 $x>0$에 대하여 $g'(x) \le 2$이다.

[논제 2] 최고차항의 계수가 양수 a인 삼차함수 $h(x)$에 대하여 함수 $k(x)$를

$$k(x)=h(x)e^{h(x)}-2\int_{0}^{x} e^{h(t)}h'(t)dt$$

라 하자. $h(x)$와 $k(x)$가 다음 조건을 만족시킬 때, a의 값을 구하시오. (25점)

(1) 함수 $k(x)$는 $x=r,\ 0,\ 2$에서만 극값을 갖는다. (단, $r \ne 0,\ 2$)
(2) $h(r)=3$
(3) $h(2) \le 1$

단국대학교 DANKOOK UNIVERSITY

답안지 (자연계열)

※ 감독관 확인란	고 교 명	성 명
감독관 성명 :		

수	험	번	호				
⓪	⓪	⓪	⓪	⓪	⓪	⓪	⓪
①	①	①	①	①	①	①	①
②	②	②	②	②	②	②	②
③	③	③	③	③	③	③	③
④	④	④	④	④	④	④	④
⑤	⑤	⑤	⑤	⑤	⑤	⑤	⑤
⑥	⑥	⑥	⑥	⑥	⑥	⑥	⑥
⑦	⑦	⑦	⑦	⑦	⑦	⑦	⑦
⑧	⑧	⑧	⑧	⑧	⑧	⑧	⑧
⑨	⑨	⑨	⑨	⑨	⑨	⑨	⑨

【유의사항】

1. 수험생 작성란 이외의 부분을 작성하거나, 답안에 개인정보(학교명, 성명 등)를 유출시킬 수 있는 불필요한 표시 등이 있는 경우 부정행위로 간주하여 처리됩니다.
2. 수험생 인적사항과 답안은 반드시 검정색 필기구(연필, 샤프 사용불가)로 작성하십시오. (빨간색이나 파란색 사용금지)
3. 답안지는 교체가 불가합니다. 원고지 교정부호 또는 수정테이프를 사용하여 수정하시기 바랍니다.

※ 부분은 수험생이 작성하지 마십시오.

문제 1번 (반드시 해당문제와 일치하여야 하며, [논제1], [논제2], [논제3] 번호를 명시하고 답안을 작성하여야 함)

이 줄 아래는 답안 작성을 하지 마십시오.

문제 2번 (반드시 해당문제와 일치하여야 하며, [논제1], [논제2] 번호를 명시하고 답안을 작성하여야 함)

이 줄 아래는 답안 작성을 하지 마십시오.

3. 2024학년도 단국대 모의 논술

[문제 1] 다음 제시문을 읽고 질문에 답하시오. (55점)

<제시문>

(가) 미분가능한 함수 $f(x)$에 대하여 $f'(a)=0$이고, $x=a$의 좌우에서 (i) $f'(x)$의 부호가 양에서 음으로 바뀌면 $f(x)$는 $x=a$에서 극대 (ii) $f'(x)$의 부호가 음에서 양으로 바뀌면 $f(x)$는 $x=a$에서 극소
(나) 미분가능한 함수 $f(x)$가 $x=a$에서 극값을 가지면 $f'(a)=0$
(다) 함수 $f(x)$가 a, b를 포함하는 열린구간에서 연속이고, $f(x)$의 한 부정적분을 $F(x)$라 하면 $f(x)$의 a에서 b까지의 정적분은 $\int_a^b f(x)dx = [F(x)]_a^b = F(b)-F(a)$

• 최고차항의 계수가 1인 두 이차함수 $f(x)$와 $g(x)$는 $f(3)=0$이고 모든 실수 x에 대하여 $f(x)g(x) \geq 0$을 만족시킨다.
함수 $F(x)$와 $G(x)$를 $F(x)=f(x)g(x)$, $G(x)=e^{F(x)}$라 하자.

• 두 이차함수 $h(x)=-ax^2+b$와 $k(x)=ax^2-c$의 그래프의 교점을 $A(\alpha,\ h(\alpha))$, $B(\beta,\ h(\beta))$라 하자. (단, a, b, c는 자연수이고 $\alpha<\beta$)

[논제 1] 자연수 ℓ에 대하여 $g(0)=\ell$, $g'(0)=\frac{2}{3}\ell$일 때, 함수 $F(x)$의 극값이 모두 정수가 되도록 하는 ℓ의 개수를 구하시오. (15점)

[논제 2] 3보다 큰 상수 s에 대하여 두 곡선 $y=f(x)$와 $y=g(x)$는 다음 조건을 만족시킨다.

두 곡선 $y=f(x)$와 $y=g(x)$가 점 $(s,\ f(s))$에서 만나고 이 점에서의 접선이 서로 수직이다.

함수 $G(x)$가 $x=s$에서 극댓값을 가질 때, $G(s)$의 값을 구하시오. (20점)

[논제 3] $\alpha<t<\beta$인 실수 t에 대하여 직선 $x=-t$와 곡선 $y=h(x)$의 교점을 P라 하고, 직선 $x=t$와 곡선 $y=k(x)$의 교점을 Q라 할 때, 사각형 AQBP의 넓이를 $S(t)$라 하자. 두 함수 $h(x)$와 $k(x)$는 다음 조건을 만족시킨다.

(1) $\int_{\frac{\alpha}{2}}^{\frac{\beta}{2}} S(t)dt = 22a^2\alpha\beta + 33(b+c)$
(2) $h(4) > k(4)$

$\sum_{n=3}^{11} h(n) - \sum_{n=1}^{9} k(n)$의 값을 구하시오. (20점)

[문제 2] 다음 제시문을 읽고 질문에 답하시오. (45점)

<제시문>

(가) 함수 $f(x)$가 실수 a에 대하여 다음 조건을 모두 만족시킬 때, 함수 $f(x)$는 $x=a$에서 연속이라 한다. (ⅰ) 함수 $f(x)$는 $x=a$에서 정의되어 있다. (ⅱ) 극한값 $\lim_{x \to a} f(x)$가 존재한다. (ⅲ) $\lim_{x \to a} f(x) = f(a)$ 함수 $f(x)$가 위의 세 조건 중에서 어느 하나라도 만족시키지 않으면 $f(x)$는 $x=a$에서 불연속이라 한다.
(나) 함수 $f(x)$에서 $x=a$를 포함하는 어떤 열린구간에 속하는 모든 x에 대하여 (ⅰ) $f(x) \le f(a)$일 때, 함수 $f(x)$는 $x=a$에서 극대가 된다고 하고, $f(a)$를 극댓값이라 한다. (ⅱ) $f(x) \ge f(a)$일 때, 함수 $f(x)$는 $x=a$에서 극소가 된다고 하고, $f(a)$를 극솟값이라 한다.
(다) 함수 $f(x)$가 a, b를 포함하는 열린구간에서 연속이고, $f(x)$의 한 부정적분을 $F(x)$라 하면 $f(x)$의 a에서 b까지의 정적분은 $\int_a^b f(x)dx = [F(x)]_a^b = F(b) - F(a)$

• **함수** $f(x) = x^3 - 3x^2 - 3mx + 5$**라 하자. (단,** m**은 자연수)**

[논제 1] $m=1$**일 때, 함수** $g(x)$**는**

$$g(x) = \begin{cases} -\frac{1}{2}(x^3 - 9x + 10) & (x < 0) \\ f(x)e^x & (x \ge 0) \end{cases}$$

모든 실수 x**에 대하여 함수** $g(x)g(x+k)$**가 연속이 되도록 하는 실수** k**의 값을 모두 구하시오. (20점)**

[논제 2] 함수 $f(x)$**는** $x=a$**와** $x=b$**에서 극값을 갖는다. (단,** $-2 < a < -\frac{1}{2}$**이고** $1 < b < 3$**) 실수 전체의 집합에서 정의된 함수** $h(x)$**는 다음 조건을 만족시킨다.**

(!) $0 \le x \le 2$**에서** $h(x) = 2f(x)$
(2) 모든 실수 x**에 대하여** $h(-x) = h(x)$
(3) 모든 실수 x**에 대하여** $h(x+4) = h(x)$

정적분 $\int_0^{33} h(x)dx$**의 값을 구하시오. (25점)**

단국대학교 DANKOOK UNIVERSITY

답안지 (자연계열)

※ 감독관 확인란	고교명	성 명
감독관 성명 :		

수	험	번	호				
⓪	⓪	⓪	⓪	⓪	⓪	⓪	⓪
①	①	①	①	①	①	①	①
②	②	②	②	②	②	②	②
③	③	③	③	③	③	③	③
④	④	④	④	④	④	④	④
⑤	⑤	⑤	⑤	⑤	⑤	⑤	⑤
⑥	⑥	⑥	⑥	⑥	⑥	⑥	⑥
⑦	⑦	⑦	⑦	⑦	⑦	⑦	⑦
⑧	⑧	⑧	⑧	⑧	⑧	⑧	⑧
⑨	⑨	⑨	⑨	⑨	⑨	⑨	⑨

【유의사항】

1. 수험생 작성란 이외의 부분을 작성하거나, 답안에 개인정보(학교명, 성명 등)를 유출시킬 수 있는 불필요한 표시 등이 있는 경우 부정행위로 간주하여 처리됩니다.
2. 수험생 인적사항과 답안은 반드시 검정색 필기구(연필, 샤프 사용불가)로 작성하십시오. (빨간색이나 파란색 사용금지)
3. 답안지는 교체가 불가합니다. 원고지 교정부호 또는 수정테이프를 사용하여 수정하시기 바랍니다.

※ 부분은 수험생이 작성하지 마십시오.

문제 1번 (반드시 해당문제와 일치하여야 하며, [논제1], [논제2], [논제3] 번호를 명시하고 답안을 작성하여야 함)

이 줄 아래는 답안 작성을 하지 마십시오.

문제 2번 (반드시 해당문제와 일치하여야 하며, [논제1], [논제2] 번호를 명시하고 답안을 작성하여야 함)

이 줄 아래는 답안 작성을 하지 마십시오.

4. 2023학년도 단국대 수시 논술 (오전)

[문제 1] 다음 제시문을 읽고 질문에 답하시오. (55점)

<제시문>

(가) 미분가능한 함수 $f(x)$에 대하여 $f'(a)=0$이고, $x=a$의 좌우에서

- $f'(x)$의 부호가 양에서 음으로 바뀌면 $f(x)$는 $x=a$에서 극대
- $f'(x)$의 부호가 음에서 양으로 바뀌면 $f(x)$는 $x=a$에서 극소

(나) 등비급수 $\sum_{n=1}^{\infty} ar^{n-1} = a+ar+ar^2+\cdots+ar^{n-1}+\cdots\ (a \neq 0)$은

$|r|<1$일 때 수렴하고, 그 합은 $\dfrac{a}{1-r}$

(다) 미분가능한 함수 $t=g(x)$의 도함수 $g'(x)$가 닫힌구간 $[a, b]$에서 연속이고, $g(a)=\alpha$, $g(b)=\beta$에 대하여 함수 $f(t)$가 α와 β를 양 끝으로 하는 닫힌구간에서 연속일 때

$$\int_a^b f(g(x))g'(x)dx = \int_\alpha^\beta f(t)dt$$

(라) 미분가능한 두 함수 $f(x)$, $g(x)$에 대하여

$$\int f(x)g'(x)dx = f(x)g(x) - \int f'(x)g(x)dx$$

[논제 1]과 [논제 2]에서 함수 $f(x)$는 실수 전체의 집합에서 연속이고 다음 조건을 만족시킨다.

모든 실수 x에 대하여 $(f(x)-3)(f(x)+3)(2f(x)-x^3+a^2x)=0$

(단, a는 상수이고 $a>0$)

[논제 1] 방정식 $f(x)=0$의 실근이 1개이고 함수 $f(x)$의 최댓값과 최솟값의 합이 24일 때, a의 값을 구하시오. (15점)

[논제 2] 실수 k에 대하여 직선 $y=a^2(x-k)$와 함수 $f(x)$의 그래프가 만나는 서로 다른 점의 개수를 $g(k)$라 하자. 함수 $f(x)$가 다음 조건을 만족시킬 때, $f(-2a)+f\left(-\dfrac{a}{2}\right)+f(2a)$의 값을 구하시오. (20점)

(1) $\lim_{k\to-\infty} g(k) - \lim_{k\to\infty} g(k) = 2$

(2) $g(-a)=3$

(3) $f(t)+f(-t)<0$인 실수 t가 열린구간 $(0,\ a)$에 존재한다.

(4) $f(x)$가 미분가능하지 않은 모든 점의 x좌표 중 가장 작은 값은 -3

[논제 3] 자연수 n에 대하여

$$a_n = \frac{1}{4\pi}\int_{\pi^4}^{n^4\pi^4} \frac{\sin\sqrt[4]{x}}{\sqrt{x}}dx$$

일 때, 급수 $\sum_{n=1}^{\infty} \frac{2^{a_{2n}}}{2^{a_{2n-1}}}$의 합을 구하시오. (20점)

[문제 2] 다음 제시문을 읽고 질문에 답하시오. (45점)

<제시문>

(가) 함수 $f(x)$가 어떤 구간에서 미분가능하고, 이 구간의 모든 x에 대하여 • $f'(x)>0$이면 $f(x)$는 증가 • $f'(x)<0$이면 $f(x)$는 감소
(나) 미분가능한 두 함수 $y=f(u)$, $u=g(x)$에 대하여 합성함수 $y=f(g(x))$의 도함수는 $y'=f'(g(x))g'(x)$
(다) 미분가능한 두 함수 $f(x)$, $g(x)$에 대하여 $f'(x)$, $g'(x)$가 닫힌구간 $[a, b]$에서 연속일 때, $\int_a^b f(x)g'(x)dx=[f(x)g(x)]_a^b-\int_a^b f'(x)g(x)dx$

실수 전체의 집합에서 이계도함수를 갖는 함수 $f(x)$는 다음 조건을 만족시킨다.

(1) $f(x)$는 열린구간 $(-1, 0)$에서 증가하고 열린구간 $(0, 1)$에서 감소한다.
(2) $f(-1)+f(1)=0$
(3) $-1<x<1$인 모든 x에 대하여 $f''(x)<0$
(4) 닫힌구간 $[-1, 1]$에서 곡선 $y=f(x)$와 두 점 $(-1, f(-1))$, $(1, f(1))$을 지나는 직선으로 둘러싸인 도형의 넓이는 3

[논제 1] 함수 $g(x)$**를** $g(x)=\sin 2x$**라 할 때, 자연수** n**에 대하여 열린구간** $(0, n\pi)$**에서** $\{f(g(x))\}'>0$**을 만족시키는 모든** x**의 집합을**

$$\{x|t_1<x<t_2\}\cup\{x|t_3<x<t_4\}\cup\cdots\cup\{x|t_{2p-1}<x<t_{2p}\}$$

라 하자. (단, $t_1<t_2<t_3<\cdots<t_{2p}$**)**

$$\sum_{j=1}^{p}(t_{2j}-t_{2j-1})=\frac{5\pi}{2}$$

일 때, n**의 값을 구하시오. (20점)**

[논제 2] 함수 $h(x)$**를** $h(x)=\int_{-1}^{x}f(t)dt$**라 할 때, 정적분**

$$\int_{-1}^{1}\{f(x)\cos x+h(x)\sin x\ln\cos x-f(x)\cos x\ln\cos x\}dx$$

의 값을 구하시오. (25점)

DKU 단국대학교
DANKOOK UNIVERSITY

답안지 (자연계열)

※ 감독관 확인란	고 교 명	성 명
감독관 성명 :		

수	험	번	호				
⓪	⓪	⓪	⓪	⓪	⓪	⓪	⓪
①	①	①	①	①	①	①	①
②	②	②	②	②	②	②	②
③	③	③	③	③	③	③	③
④	④	④	④	④	④	④	④
⑤	⑤	⑤	⑤	⑤	⑤	⑤	⑤
⑥	⑥	⑥	⑥	⑥	⑥	⑥	⑥
⑦	⑦	⑦	⑦	⑦	⑦	⑦	⑦
⑧	⑧	⑧	⑧	⑧	⑧	⑧	⑧
⑨	⑨	⑨	⑨	⑨	⑨	⑨	⑨

【유의사항】

1. 수험생 작성란 이외의 부분을 작성하거나, 답안에 개인정보(학교명, 성명 등)를 유출시킬 수 있는 불필요한 표시 등이 있는 경우 부정행위로 간주하여 처리됩니다.
2. 수험생 인적사항과 답안은 반드시 검정색 필기구(연필, 샤프 사용불가)로 작성하십시오. (빨간색이나 파란색 사용금지)
3. 답안지는 교체가 불가합니다. 원고지 교정부호 또는 수정테이프를 사용하여 수정하시기 바랍니다.

※ 부분은 수험생이 작성하지 마십시오.

문제 1번 (반드시 해당문제와 일치하여야 하며, [논제1], [논제2], [논제3] 번호를 명시하고 답안을 작성하여야 함)

이 줄 아래는 답안 작성을 하지 마십시오.

문제 2번 (반드시 해당문제와 일치하여야 하며, [논제1], [논제2] 번호를 명시하고 답안을 작성하여야 함)

이 줄 아래는 답안 작성을 하지 마십시오.

5. 2023학년도 단국대 수시 논술 (오후)

[문제 1] 다음 제시문을 읽고 질문에 답하시오. (55점)

<제시문>

(가) 함수 $f(x)$가 $x=c$에서 미분가능할 때, 곡선 $y=f(x)$ 위의 점 $\mathrm{P}(c,\ f(c))$에서의 접선의 방정식은 $y-f(c)=f'(c)(x-c)$
(나) 열린구간 $(a,\ b)$에서 미분가능한 함수 $f(x)$가 $x=c$에서 최댓값을 가질 때 $f'(c)=0$(단, $a<c<b$)
(다) 첫째항부터 차례대로 일정한 수를 곱하여 만든 수열을 등비수열이라 하고, 곱하는 일정한 수를 공비라고 한다. 즉, 공비 r인 등비수열 $\{a_n\}$에 대하여 $a_{n+1}=ra_n$(단, $n=1,\ 2,\ 3,\ \cdots$) 또한 첫째항이 a, 공비가 $r(r\neq 0)$인 등비수열 $\{a_n\}$의 일반항은 $a_n=ar^{n-1}$
(라) 함수 $f(x)$가 닫힌구간 $[a,\ b]$에서 연속일 때, $\int_a^b f(x)dx=\lim_{n\to\infty}\sum_{k=1}^{n} f(x_k)\Delta x$ (단, $\Delta x=\frac{b-a}{n}$, $x_k=a+k\Delta x$)

함수 $f(x)=3\left(x+\frac{2}{3}\right)(1-3x)$의 그래프와 $g(x)=-f(x)$의 그래프로 둘러싸인 도형을 R라 하고 R의 둘레를 S라 하자.

$-\frac{2}{3}<a<\frac{1}{3}$에 대하여 S 위의 두 점 $\mathrm{A}\left(-\frac{2}{3},\ 0\right)$과 $\mathrm{B}(a,\ g(a))$를 꼭짓점으로 하고 R에 포함되는 삼각형 중에서 넓이가 최대인 삼각형의 꼭짓점을 A, B, B_1이라 하고, 다시 두 점 A와 B_1을 꼭짓점으로 하고 R에 포함되는 삼각형 중에서 넓이가 최대인 삼각형의 꼭짓점을 $\mathrm{A}, \mathrm{B}_1, \mathrm{B}_2$라 하자. 이 과정을 계속 반복하여 자연수 n에 대하여 두 점 A와 B_n을 꼭짓점으로 하고 R에 포함되는 삼각형 중에서 넓이가 최대인 삼각형의 꼭짓점을 A, B_n, B_{n+1}이라 하자. 또한 점 B_n의 x좌표를 a_n이라 하자.

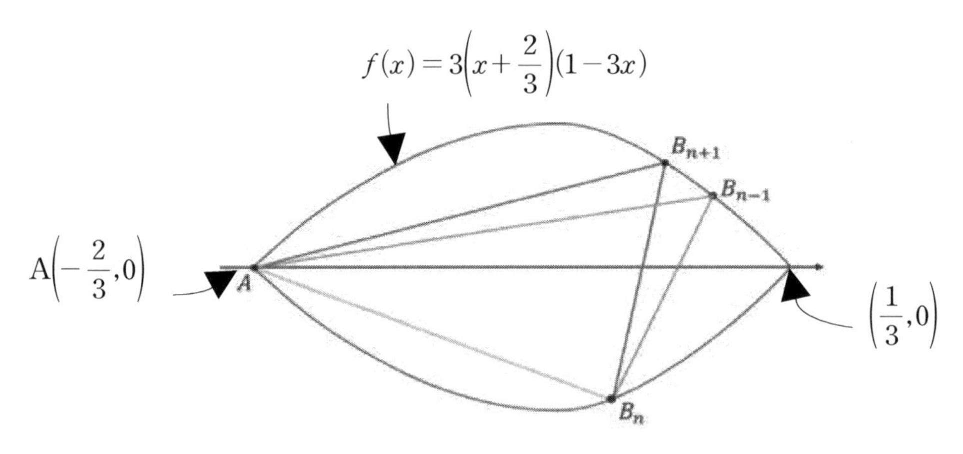

[논제 1] $B_3\left(\frac{1}{18},\ f\left(\frac{1}{18}\right)\right)$일 때 a_1의 값을 구하시오. (15점)

[논제 2] 수열 $\{a_n\}$이 등비수열임을 참고하여 A가 꼭짓점이고 R에 포함되는 삼각형의 넓이의 최댓값을 구하시오. (20점)

[논제 3] $a=-\frac{1}{2}$일 때 수열 $\{a_n\}$에 대하여

$$b_n=\frac{1}{\ln|a_n|}+\frac{1}{\ln|a_{n+1}|}+\cdots+\frac{1}{\ln|a_{2n-1}|}=\sum_{k=n}^{2n-1}\frac{1}{\ln|a_k|}$$

이라 하자. 제시문 (다), (라)를 이용하여 $\lim_{n\to\infty}b_n$의 값을 구하시오. (20점)

[문제 2] 다음 제시문을 읽고 질문에 답하시오. (45점)

<제시문>

(가) 함수 $f(x)$가 임의의 세 실수 a, b, c를 포함하는 닫힌구간에서 연속일 때, $$\int_a^c f(x)dx + \int_c^b f(x)dx = \int_a^b f(x)dx$$
(나) 미분가능한 함수 $g(t)$에 대하여 $x = g(t)$로 놓으면 $$\int f(x)dx = \int f(g(t))g'(t)dt$$
(다) 함수 $f(x)$가 어떤 구간에서 미분가능하고, 이 구간의 모든 x에 대하여 • $f'(x) > 0$이면 $f(x)$는 증가 • $f'(x) < 0$이면 $f(x)$는 감소

실수 전체의 집합에서 연속이고 증가하는 함수 $f(x)$는 다음 조건을 만족시킨다.

(1) 모든 실수 x에 대하여 $f(x+2) = f(x) + 2$

(2) $0 \le x \le 2$인 모든 x에 대하여 $f(x) + f(2-x) = 2$

(3) $\int_0^1 f(x)dx - \int_{-1}^0 f(x)dx = \frac{5}{4}$

함수 $g(x)$를 $g(x) = ae^x + b$라 하자. (단, a, b는 상수이고 $a > 0$)

[논제 1] 정적분 $\int_{-1}^4 f^{-1}(x)dx$의 값을 구하시오. (20점)

[논제 2] $g(t) \neq 0$인 각각의 실수 t마다 다음 조건을 만족시키는 점 P가 단 하나씩만 존재할 때 실수 b의 최솟값을 구하시오. (25점)

곡선 $y = g(x)$와 중심이 $(t, 0)$인 어떤 원 O가 점 P에서 만나고 점 P에서 곡선 $y = g(x)$와 원 O는 동시에 접하는 접선을 갖는다.

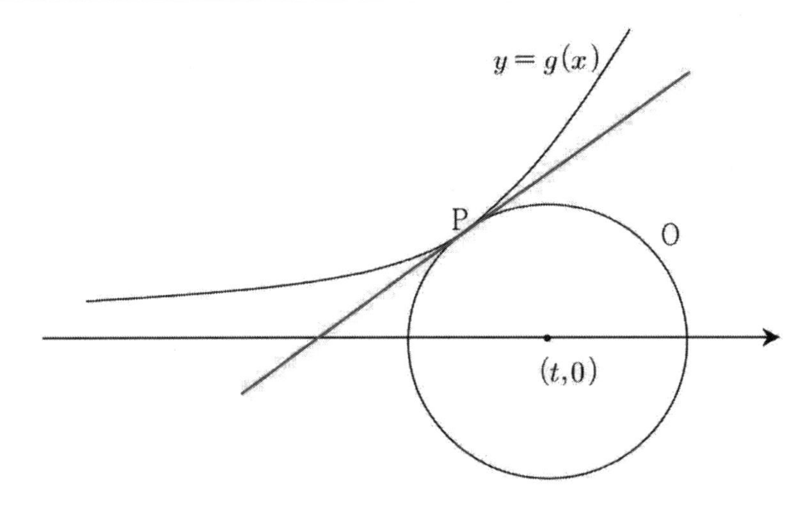

단국대학교
DANKOOK UNIVERSITY

답안지 (자연계열)

수	험	번	호				
⓪	⓪	⓪	⓪	⓪	⓪	⓪	⓪
①	①	①	①	①	①	①	①
②	②	②	②	②	②	②	②
③	③	③	③	③	③	③	③
④	④	④	④	④	④	④	④
⑤	⑤	⑤	⑤	⑤	⑤	⑤	⑤
⑥	⑥	⑥	⑥	⑥	⑥	⑥	⑥
⑦	⑦	⑦	⑦	⑦	⑦	⑦	⑦
⑧	⑧	⑧	⑧	⑧	⑧	⑧	⑧
⑨	⑨	⑨	⑨	⑨	⑨	⑨	⑨

※ 감독관 확인란	고교명	성 명
감독관 성명 :		

【유의사항】

1. 수험생 작성란 이외의 부분을 작성하거나, 답안에 개인정보(학교명, 성명 등)를 유출시킬 수 있는 불필요한 표시 등이 있는 경우 부정행위로 간주하여 처리됩니다.
2. 수험생 인적사항과 답안은 반드시 검정색 필기구(연필, 샤프 사용불가)로 작성하십시오. (빨간색이나 파란색 사용금지)
3. 답안지는 교체가 불가합니다. 원고지 교정부호 또는 수정테이프를 사용하여 수정하시기 바랍니다.

※ 부분은 수험생이 작성하지 마십시오.

문제 1번 (반드시 해당문제와 일치하여야 하며, [논제1], [논제2], [논제3] 번호를 명시하고 답안을 작성하여야 함)

이 줄 아래는 답안 작성을 하지 마십시오.

문제 2번 (반드시 해당문제와 일치하여야 하며, [논제1], [논제2] 번호를 명시하고 답안을 작성하여야 함)

이 줄 아래는 답안 작성을 하지 마십시오.

6. 2023학년도 단국대 모의 논술

[문제 1] 다음 제시문을 읽고 질문에 답하시오. (55점)

<제시문>

(가) 수렴하는 두 수열 $\{a_n\}$, $\{b_n\}$에 대하여 $\lim_{n\to\infty} a_n = \alpha$, $\lim_{n\to\infty} b_n = \beta$일 때, (i) 모든 자연수 n에 대하여 $a_n \le b_n$이면 $\alpha \le \beta$ (ii) 수열 $\{c_n\}$이 모든 자연수 n에 대하여 $a_n \le c_n \le b_n$이고 $\alpha = \beta$이면 수열 $\{c_n\}$은 수렴하고 $\lim_{n\to\infty} c_n = \alpha$
(나) 미분가능한 함수 $f(x)$에 대하여 $f'(a)=0$이고, $x=a$의 좌우에서 (i) $f'(x)$의 부호가 양에서 음으로 바뀌면 $f(x)$는 $x=a$에서 극대 (ii) $f'(x)$의 부호가 음에서 양으로 바뀌면 $f(x)$는 $x=a$에서 극소
(다) 닫힌구간 $[a, b]$에서 연속인 함수 $f(x)$의 한 부정적분을 $F(x)$라 할 때, $\int_a^b f(x)dx = [F(x)]_a^b = F(b) - F(a)$

[논제 1] 다음 극한값을 구하시오. (15점)

$$\lim_{n\to\infty} \frac{1}{n^3} \sum_{k=1}^{n} \sqrt{k(k+1)(k^2+3)}$$

- **최고차항의 계수가 1인 삼차함수 $f(x)$가 다음 조건을 만족시킬 때 [논제 2]와 [논제 3]의 물음에 답하시오.**

(1) $f(x)$는 $x=\alpha$, $x=\beta\,(0<\alpha<\beta)$에서 극값을 갖는다. (2) $f(0)=f(\beta)$ (3) $\int_0^\beta f(x)dx - \beta f(\beta) = 108$

[논제 2] 함수 $f(x)$의 두 극값의 차를 구하시오. (20점)

[논제 3] 양의 실수 t에 대하여 곡선 $y=f(x)$위의 두 점 $\mathrm{P}(t,\ f(t))$, $\mathrm{Q}(3t,\ f(3t))$를 1:3으로 내분하는 내분점을 R라 하자. 점 R가 나타내는 곡선의 방정식을 $y=g(x)$라 하면, 함수 $g(x)$는 $x=\gamma$에서 극솟값을 갖는다.

$\int_0^{\frac{2}{3}\gamma} f(x)dx = 50$일 때, 함수 $f(x)$의 극댓값을 구하시오. (20점)

[문제 2] 다음 제시문을 읽고 질문에 답하시오. (45점)

<제시문>

(가) 미분가능한 두 함수 $f(x)$, $g(x)$에 대하여 $$\{f(x)g(x)\}' = f'(x)g(x) + f(x)g'(x)$$
(나) 함수 $f(t)$가 닫힌구간 $[a, b]$에서 연속일 때, $$\frac{d}{dx}\int_a^x f(t)dt = f(x) \quad (\text{단, } a < x < b)$$
(다) 미분가능한 함수 $f(x)$에 대하여 $f'(a) = 0$이고, $x = a$의 좌우에서 (i) $f'(x)$의 부호가 양에서 음으로 바뀌면 $f(x)$는 $x = a$에서 극대 (ii) $f'(x)$의 부호가 음에서 양으로 바뀌면 $f(x)$는 $x = a$에서 극소

[논제 1] 함수 $f(x) = -(x-1)^2 + 1$에 대하여, 열린구간 $(1, 2)$에서 정의된 함수

$$g(x) = \int_0^x |f(x) - f(t)|dt$$

라 하자. $g(x)$가 $x = a$에서 극값을 가질 때, a의 값을 구하시오. (20점)

[논제 2] 양의 실수 a에 대하여 함수

$$h(x) = ax^2 e^{-\frac{2x}{a}}$$

라 하고, 실수 t에 대하여 $k(t)$를 닫힌구간 $[h(t), h(t)+a]$에서 $h(x)$의 최댓값이라 하자. 함수 $k(t)$가 다음 조건을 만족시키도록 하는 a의 최댓값을 구하시오. (25점)

모든 양의 실수 t에 대하여 $k(t)$의 값이 일정하다.

(단, $\lim\limits_{x \to -\infty} h(x) = \infty$이고 $\lim\limits_{x \to \infty} h(x) = 0$)

DKU 단국대학교 DANKOOK UNIVERSITY

답안지 (자연계열)

※ 감독관 확인란	고 교 명	성 명
감독관 성명 :		

수	험	번	호				
⓪	⓪	⓪	⓪	⓪	⓪	⓪	⓪
①	①	①	①	①	①	①	①
②	②	②	②	②	②	②	②
③	③	③	③	③	③	③	③
④	④	④	④	④	④	④	④
⑤	⑤	⑤	⑤	⑤	⑤	⑤	⑤
⑥	⑥	⑥	⑥	⑥	⑥	⑥	⑥
⑦	⑦	⑦	⑦	⑦	⑦	⑦	⑦
⑧	⑧	⑧	⑧	⑧	⑧	⑧	⑧
⑨	⑨	⑨	⑨	⑨	⑨	⑨	⑨

【유의사항】

1. 수험생 작성란 이외의 부분을 작성하거나, 답안에 개인정보(학교명, 성명 등)를 유출시킬 수 있는 불필요한 표시 등이 있는 경우 부정행위로 간주하여 처리됩니다.
2. 수험생 인적사항과 답안은 반드시 검정색 필기구(연필, 샤프 사용불가)로 작성하십시오. (빨간색이나 파란색 사용금지)
3. 답안지는 교체가 불가합니다. 원고지 교정부호 또는 수정테이프를 사용하여 수정하시기 바랍니다.

※ 부분은 수험생이 작성하지 마십시오.

문제 1번 (반드시 해당문제와 일치하여야 하며, [논제1], [논제2], [논제3] 번호를 명시하고 답안을 작성하여야 함)

이 줄 아래는 답안 작성을 하지 마십시오.

문제 2번 (반드시 해당문제와 일치하여야 하며, [논제1], [논제2] 번호를 명시하고 답안을 작성하여야 함)

이 줄 아래는 답안 작성을 하지 마십시오.

7. 2022학년도 단국대 수시 논술 (오전)

[문제 1] 다음 제시문을 읽고 질문에 답하시오. (55점)

<제시문>

(가) 미분가능한 두 함수 $y=f(u)$와 $u=g(x)$에 대하여 합성함수 $y=f(g(x))$의 도함수는 $$\{f(g(x))\}'=f'(g(x))g'(x)$$
(나) 미분가능한 함수 $f(x)$가 $f'(a)=0$이고 $x=a$의 좌우에서 (1) $f'(x)$의 부호가 양에서 음으로 바뀌면 $f(x)$는 $x=a$에서 극대이고, 극댓값은 $f(a)$ (2) $f'(x)$의 부호가 음에서 양으로 바뀌면 $f(x)$는 $x=a$에서 극소이고, 극솟값은 $f(a)$
(다) 함수 $f(x)$가 닫힌구간 $[a, b]$에서 연속이고 미분가능한 함수 $x=g(t)$에 대하여 $a=g(\alpha)$, $b=g(\beta)$일 때 도함수 $g'(t)$가 α, β를 포함하는 구간에서 연속이면 $$\int_a^b f(x)dx=\int_\alpha^\beta f(g(t))g'(t)dt$$

[논제 1] 자연수 n에 대하여 두 함수 $f(x)$와 $g(x)$를 다음과 같이 정의하자.

$$f(x)=nx^2e^{-x},\quad g(x)=(f\circ f)(x)$$

x에 대한 방정식 $g'(x)=0$이 서로 다른 3개의 실근을 갖도록 하는 n을 모두 구하시오. (단, e는 2.7로 계산) (15점)

[논제 2] 실수 전체의 집합에서 연속인 도함수를 갖는 함수 $h(x)$가 다음 조건을 만족시킨다.

(1) $\int_1^3 h(x)dx=9$
(2) 모든 자연수 n에 대하여 구간 $[3^n,\ 3^{n+1})$에서 $h(x)=h\left(\frac{x}{3}\right)+1$

$\int_1^{81}(h(x)+h'(x))dx$의 값을 구하시오. (20점)

[논제 3] 모든 실수 x에 대하여 $k(x)>0$인 연속함수 $k(x)$와 함수

$$S(x)=\int_0^x k(t)dt$$

가 두 양수 a, b에 대하여 다음 조건을 만족시킨다.

(1) $\int_a^b k(x)dx = 3S(a)+3$
(2) $\int_a^b \frac{S(x)e^{S(x)}}{(S(x)+1)^2}k(x)dx = \frac{e^{S(a)}}{S(b)+1}\left(e^{6(S(a)+1)} - 67e^{3(S(a)+1)} + 252\right)$

$S(b)$의 값을 구하시오. (20점)

[문제 2] 다음 제시문을 읽고 질문에 답하시오. (45점)

<제시문>

(가) 미분가능한 함수 $f(x)$의 최솟값을 구하기 위하여 도함수 $f'(x)$를 활용할 수 있다.
(나) 극한값 $\lim_{\Delta x \to 0} \frac{f(a+\Delta x)-f(a)}{\Delta x}$가 존재하면 함수 $f(x)$는 $x=a$에서 미분가능하다고 한다.
(다) 함수 $f(x)$가 $x=a$에서 미분가능할 때, 곡선 $y=f(x)$위의 점 $P(a,\ f(a))$에서의 접선의 방정식은 $$y-f(a)=f'(a)(x-a)$$

[논제 1] 방정식 $e^x - \left|x^2 - ex\right| = 0$의 실근의 개수를 구하시오. (20점)

[논제 2] 최고차항의 계수가 양수인 삼차함수 $f(x)$는 다음 조건을 만족시킨다.

(1) 점 $(t,\ 0)$을 지나는 직선 ℓ이 곡선 $y=e^x$에 접할 때 접점의 x좌표를 $u(t)$라 하자. $\int_t^{u(t)} e^x dx = 1-\frac{1}{e}$일 때 직선 ℓ은 점 $(0,\ f(0))$에서 곡선 $y=f(x)$와 접한다.
(2) $f\left(\frac{3}{2}\right)=\frac{5}{2}$
(3) 곡선 $y=f(e^x)$는 곡선 $y=e^x$와 한 점에서만 만난다.

함수 $g(x)=\|f(x)-x\|$가 $x=p$에서 미분가능하지 않을 때, 실수 p의 값을 구하시오. (25점)

DKU 단국대학교 DANKOOK UNIVERSITY

답안지 (자연계열)

※ 감독관 확인란	고 교 명	성 명
감독관 성명 :		

수	험	번	호				
0	0	0	0	0	0	0	0
1	1	1	1	1	1	1	1
2	2	2	2	2	2	2	2
3	3	3	3	3	3	3	3
4	4	4	4	4	4	4	4
5	5	5	5	5	5	5	5
6	6	6	6	6	6	6	6
7	7	7	7	7	7	7	7
8	8	8	8	8	8	8	8
9	9	9	9	9	9	9	9

【유의사항】

1. 수험생 작성란 이외의 부분을 작성하거나, 답안에 개인정보(학교명, 성명 등)를 유출시킬 수 있는 불필요한 표시 등이 있는 경우 부정행위로 간주하여 처리됩니다.
2. 수험생 인적사항과 답안은 반드시 검정색 필기구(연필, 샤프 사용불가)로 작성하십시오. (빨간색이나 파란색 사용금지)
3. 답안지는 교체가 불가합니다. 원고지 교정부호 또는 수정테이프를 사용하여 수정하시기 바랍니다.

※ 부분은 수험생이 작성하지 마십시오.

문제 1번 (반드시 해당문제와 일치하여야 하며, [논제1], [논제2], [논제3] 번호를 명시하고 답안을 작성하여야 함)

이 줄 아래는 답안 작성을 하지 마십시오.

문제 2번 (반드시 해당문제와 일치하여야 하며, [논제1], [논제2] 번호를 명시하고 답안을 작성하여야 함)

이 줄 아래는 답안 작성을 하지 마십시오.

8. 2022학년도 단국대 수시 논술 (오후)

[문제 1] 다음 제시문을 읽고 질문에 답하시오. (55점)

<제시문>

(가) 미분가능한 함수 $f(x)$의 역함수 $f^{-1}(x)$가 존재하고 이 역함수가 미분가능할 때, $$\left(f^{-1}\right)'(x)=\frac{1}{f'\left(f^{-1}(x)\right)}$$
(나) 함수 $f(x)$에서 x의 값이 a가 아니면서 a에 한없이 가까워질 때, $f(x)$의 값이 일정한 값 L에 한없이 가까워지면 함수 $f(x)$는 L에 수렴한다고 한다. 이때 L을 $x=a$에서의 함수 $f(x)$의 극한값 또는 극한이라 하고, 이것을 기호로 $$\lim_{x\to a}f(x)=L \text{ 또는 } x\to a\text{일때}f(x)\to L$$ 과 같이 나타낸다.
(다) 함수 $f(x)$가 닫힌구간 $[a,\ b]$에서 연속이고 미분가능한 함수 $x=g(t)$에 대하여 $a=g(\alpha)$, $b=g(\beta)$일 때 도함수 $g'(t)$가 α, β를 포함하는 구간에서 연속이면 $$\int_a^b f(x)dx=\int_\alpha^\beta f(g(t))g'(t)dt$$

[논제 1] 양의 실수 전체의 집합에서 정의된 함수 $f(x)=\ln x+2x^2+ax+b$가 역함수를 갖고, 0이 아닌 실수 L에 대하여

$$\lim_{x\to 1}\left(\left(f^{-1}\right)'(x)\times\left\{\ln\frac{f^{-1}(x)}{f^{-1}(1)}\right\}^2\right)=L$$

일 때, $a+b+L$의 값을 구하시오. (단, a, b는 상수) (15점)

[논제 2] 최고차항의 계수가 1인 삼차함수 $g(x)$에 대하여 함수 $h(x)=\dfrac{(x-2)g'(x)}{g(x)}$와 0이 아닌 실수 c가 다음 조건을 만족시킨다.

(1) $\lim_{x\to 2}h(x)=2$
(2) $\lim_{x\to c}h(\lvert x\rvert)$가 존재하지 않는다.
(3) $g(c)=18c$

$g(2c)$의 값을 구하시오. (20점)

[논제 3] 함수 $k(x)=x+\sin x$에 대하여 함수 $F(t)$와 상수 α, β를 다음과 같이 정의하자.

(1) $F(t)=\int_0^{\pi t}\cos\left(k^{-1}(y)\right)dy$
(2) α는 $0<t<8$에서 $F(t)$가 극댓값인 t의 값 중 가장 큰 값
(3) β는 $0<t<8$에서 $F(t)$가 극솟값인 t의 값 중 가장 큰 값

$F(\beta)-F(\alpha)$의 값을 구하시오. (20점)

[문제 2] 다음 제시문을 읽고 질문에 답하시오. (45점)

<제시문>

(가) 두 변수 x, y의 관계를 새로운 변수 t를 이용하여 $x=f(t),\ y=g(t)$ 와 같이 나타낼 때, t를 매개변수라 한다.
(나) 미분가능한 함수 $f(x)$가 $f'(a)=0$이고 $x=a$의 좌우에서 $f'(x)$의 부호가 양에서 음으로 바뀌거나 음에서 양으로 바뀌면 $f(a)$는 극값이다.
(다) 두 함수 $f(x)$, $g(x)$가 미분가능하고 $f'(x)$, $g'(x)$가 닫힌구간 $[a,\ b]$에서 연속일 때, $\int_a^b f(x)g'(x)dx=[f(x)g(x)]_a^b-\int_a^b f'(x)g(x)dx$

아래 그림과 같이 좌표평면 위에 중심이 각각 $(0,\ 2)$, $(-2,\ 0)$, $(0,\ -2)$, $(2,\ 0)$**이고 반지름의 길이가 1인 4개의 원** C_1, C_2, C_3, C_4**와 꼭짓점이** $\left(\frac{3}{2}\pi,\ 0\right)$, $\left(\frac{3}{2}\pi,\ -\frac{\pi}{2}\right)$, $\left(\pi,\ -\frac{\pi}{2}\right)$, $(\pi,\ 0)$**인 정사각형 S가 있다. 실수** $t(t\ge 0)$**에 대하여 좌표평면 위를 이동하는 5개의 점** P_1, P_2, P_3, P_4, Q**는 다음과 같은 규칙을 따른다.**

• 좌표평면 위의 네 점 $R_1(0,\ 3)$, $R_2(-3,\ 0)$, $R_3(0,\ -3)$, $R_4(3,\ 0)$에 대하여 점 P_i는 $t=0$일 때 점 R_i를 출발하여 $t(t>0)$초 동안 원 C_i위를 시계 반대 방향으로 t만큼 이동한다. (단, $i=1,\ 2,\ 3,\ 4$)
• 점 Q는 $t=0$일 때 점 $\left(\frac{3}{2}\pi,\ 0\right)$을 출발하여 $t(t>0)$초 동안 정사각형 S위를 시계 방향으로 t만큼 이동한다.

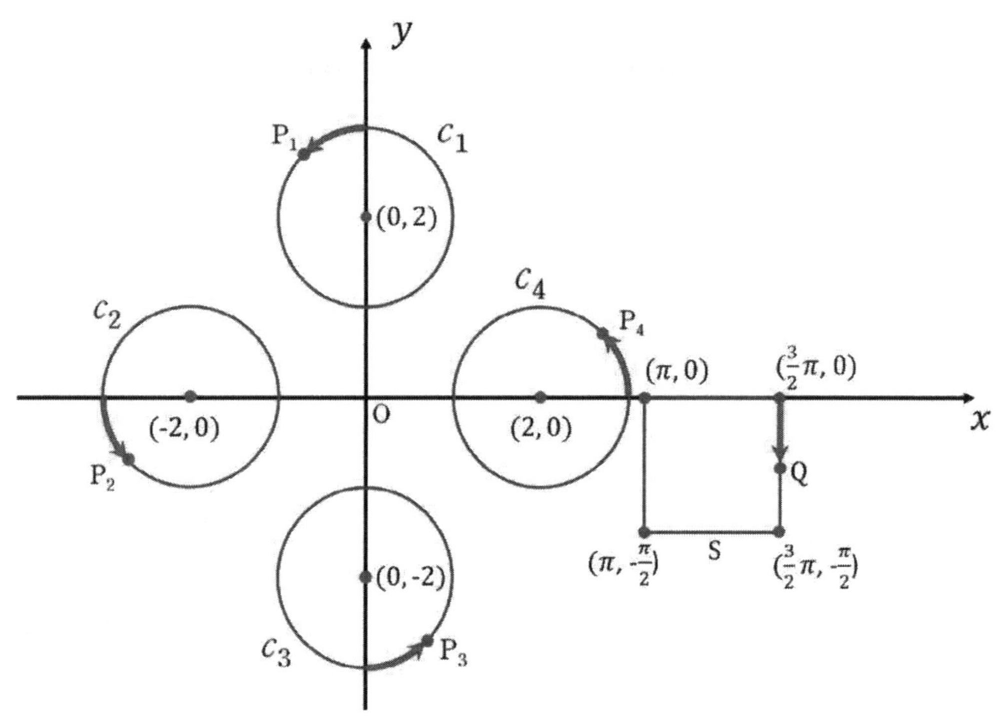

출발 후 t초가 경과했을 때,

- 두 점 P_1과 P_3사이의 거리를 $\ell(t)$
- 사각형 $P_1P_2P_3P_4$의 넓이를 $A(t)$
- 삼각형 P_1P_3Q의 무게중심의 x좌표를 $f(t)$

라 하자.

[논제 1] $a=\int_0^{\frac{\pi}{2}}(\ell(t))^4dt-40\int_0^{\frac{\pi}{2}}(\ell(t))^2dt+200\pi$라 하자.

$0<t<a$에서 함수 $A(t)$의 모든 극값의 합을 구하시오. (20점)

[논제 2] $\int_{\frac{\pi}{2}}^{\frac{3\pi}{2}}A(t)(f(t))^2dt-10\int_0^{\pi}(f(t))^2dt$의 값을 구하시오. (25점)

DKU 단국대학교
DANKOOK UNIVERSITY

답안지 (자연계열)

※ 감독관 확인란	고 교 명	성 명
감독관 성명 :		

수 험 번 호							
⓪	⓪	⓪	⓪	⓪	⓪	⓪	⓪
①	①	①	①	①	①	①	①
②	②	②	②	②	②	②	②
③	③	③	③	③	③	③	③
④	④	④	④	④	④	④	④
⑤	⑤	⑤	⑤	⑤	⑤	⑤	⑤
⑥	⑥	⑥	⑥	⑥	⑥	⑥	⑥
⑦	⑦	⑦	⑦	⑦	⑦	⑦	⑦
⑧	⑧	⑧	⑧	⑧	⑧	⑧	⑧
⑨	⑨	⑨	⑨	⑨	⑨	⑨	⑨

【유의사항】

1. 수험생 작성란 이외의 부분을 작성하거나, 답안에 개인정보(학교명, 성명 등)를 유출시킬 수 있는 불필요한 표시 등이 있는 경우 부정행위로 간주하여 처리됩니다.
2. 수험생 인적사항과 답안은 반드시 검정색 필기구(연필, 샤프 사용불가)로 작성하십시오. (빨간색이나 파란색 사용금지)
3. 답안지는 교체가 불가합니다. 원고지 교정부호 또는 수정테이프를 사용하여 수정하시기 바랍니다.

※ 부분은 수험생이 작성하지 마십시오.

문제 1번 (반드시 해당문제와 일치하여야 하며, [논제1], [논제2], [논제3] 번호를 명시하고 답안을 작성하여야 함)

이 줄 아래는 답안 작성을 하지 마십시오.

문제 2번 (반드시 해당문제와 일치하여야 하며, [논제1], [논제2] 번호를 명시하고 답안을 작성하여야 함)

이 줄 아래는 답안 작성을 하지 마십시오.

9. 2022학년도 단국대 모의 논술

[문제 1] 다음 제시문을 읽고 질문에 답하시오. (55점)

<제시문>

(가) 유리함수 $f(x)=\dfrac{k}{x-p}+q(k\neq 0)$의 점근선은 두 직선 $x=p$, $y=q$이다.
(나) 평균변화율의 극한값 $$\lim_{h\to 0}\frac{f(a+h)-f(a)}{h}$$ 가 존재하면 함수 $f(x)$는 $x=a$에서 미분가능하다고 한다.
(다) 임의의 두 실수 a, b를 포함하는 구간에서 연속인 함수 $f(x)$의 한 부정적분 $F(x)$에 대하여 $F(b)-F(a)$를 함수 $f(x)$의 a에서 b까지의 정적분이라 하고 이것을 기호로 $\int_a^b f(x)dx$와 같이 나타낸다.

• 함수 $f(x)=\dfrac{x}{1-2x}$라 하자.

• 좌표평면에 원점 O와 네 점 $\mathrm{A}(1,\ 1)$, $\mathrm{B}\left(1+\dfrac{\sqrt{3}}{2},\ \dfrac{1}{2}\right)$, $\mathrm{C}\left(1+\dfrac{\sqrt{3}}{2},\ \dfrac{3}{2}\right)$, $\mathrm{D}(1,\ 0)$이 있다.

• 시각 $t\left(0\le t<\dfrac{1}{2}\right)$에서 점 P의 위치는 아래와 같은 규칙에 따라 결정된다.

(가) 시각 $t=0$에서 점 P의 위치는 점 A이다. (나) 점 P는 $\triangle\mathrm{ABC}$의 변을 따라 시계 반대 방향으로 움직인다. (다) 시각 $t=0$에서 시각 $t=t_0$까지 점 P가 $\triangle\mathrm{ABC}$의 변을 따라 움직인 거리는 $f(t_0)$이다.

• **시각 $t\left(0\le t<\dfrac{1}{2}\right)$에서 $\triangle\mathrm{ODP}$의 넓이를 $g(t)$라 하자.**

[논제 1] $\overline{\mathrm{AP}}=\dfrac{1}{2}$인 시각 t를 모두 구하시오. (단, $0\le t\le\dfrac{7}{15}$) (15점)

[논제 2] 다음 조건을 만족시키는 다항함수 $h(x)$에 대하여 $h(-1)$의 값을 구하시오. (20점)

(1) $h(x)$는 $x=a$와 $x=b(a<b)$에서 극값을 갖는다. (2) 모든 실수 x에 대하여 $$\int_1^x h(t)dt=xh(x)-45x^4+44x^3-12x^2-4+\left(\frac{2}{ab}\right)^2\int_a^b(4-8t)g(t)dt$$

[논제 3] $0<t<\dfrac{4}{9}$에서 함수 $g(t)$가 미분가능하지 않은 t의 값을 모두 구하시오. (20점)

[문제 2] 다음 제시문을 읽고 질문에 답하시오. (45점)

<제시문>

(가) 곡선 $y=f(x)$위의 점 $(a,\ f(a))$에서 접하는 접선의 방정식은 $$y-f(a)=f'(a)(x-a)$$
(나) 미분가능한 함수 $f(x)$가 $x=a$에서 극값을 가지면 $f'(a)=0$이다.
(다) 미분가능한 함수 $f(x)$에 대하여 $f'(a)=0$일 때, $x=a$의 좌우에서 • $f'(x)$의 부호가 양에서 음으로 바뀌면 $f(x)$는 $x=a$에서 극대이고, • $f'(x)$의 부호가 음에서 양으로 바뀌면 $f(x)$는 $x=a$에서 극소이다.

실수 a에 대하여

$$f(x)=\frac{1}{1+e^{-x+a}},\quad g(x)=\frac{1}{1+e^{x+a}}$$

라 하자.

[논제 1] 실수 t에 대하여, 점 $(t,\ 0)$을 지나고 곡선 $y=f(x)$에 접하는 직선의 개수를 $n(t)$라 하고 점 $(t,\ 0)$을 지나고 곡선 $y=g(x)$에 접하는 직선의 개수를 $m(t)$라 하자.

아래 조건을 만족시키는 실수 a의 범위를 구하시오. (20점)

모든 실수 t에 대하여 $n(t)+m(t)>0$

[논제 2] 아래 조건을 만족시키는 다항함수 $h(x)$를 모두 구하시오. (25점)

(1) 모든 실수 x에 대하여 $h'(x)(h''(x)-h''(0))\geq 0$
(2) 함수 $F(x)=h(x)-\ln f(x)$는 극값을 갖지 않는다.

DKU 단국대학교
DANKOOK UNIVERSITY

답안지 (자연계열)

수	험	번	호				
⓪	⓪	⓪	⓪	⓪	⓪	⓪	⓪
①	①	①	①	①	①	①	①
②	②	②	②	②	②	②	②
③	③	③	③	③	③	③	③
④	④	④	④	④	④	④	④
⑤	⑤	⑤	⑤	⑤	⑤	⑤	⑤
⑥	⑥	⑥	⑥	⑥	⑥	⑥	⑥
⑦	⑦	⑦	⑦	⑦	⑦	⑦	⑦
⑧	⑧	⑧	⑧	⑧	⑧	⑧	⑧
⑨	⑨	⑨	⑨	⑨	⑨	⑨	⑨

※ 감독관 확인란	고교명	성 명
감독관 성명 :		

【유의사항】

1. 수험생 작성란 이외의 부분을 작성하거나, 답안에 개인정보(학교명, 성명 등)를 유출시킬 수 있는 불필요한 표시 등이 있는 경우 부정행위로 간주하여 처리됩니다.
2. 수험생 인적사항과 답안은 반드시 검정색 필기구(연필, 샤프 사용불가)로 작성하십시오. (빨간색이나 파란색 사용금지)
3. 답안지는 교체가 불가합니다. 원고지 교정부호 또는 수정테이프를 사용하여 수정하시기 바랍니다.

※ 부분은 수험생이 작성하지 마십시오.

문제 1번 (반드시 해당문제와 일치하여야 하며, [논제1], [논제2], [논제3] 번호를 명시하고 답안을 작성하여야 함)

이 줄 아래는 답안 작성을 하지 마십시오.

문제 2번 (반드시 해당문제와 일치하여야 하며, [논제1], [논제2] 번호를 명시하고 답안을 작성하여야 함)

이 줄 아래는 답안 작성을 하지 마십시오.

10. 2021학년도 단국대 수시 논술 (오전)

[문제 1] 다음 제시문을 읽고 질문에 답하시오. (55점)

<제시문>

(가) 함수 $f(x)$가 $x=a$에서 미분가능할 때, 곡선 $y=f(x)$위의 점 $P(a,\ f(a))$에서의 접선의 방정식은 $$y-f(a)=f'(a)(x-a)$$
(나) 미분가능한 함수 $f(x)$가 $f'(a)=0$이고 $x=a$의 좌우에서 (1) $f'(x)$의 부호가 양에서 음으로 바뀌면 $f(x)$는 $x=a$에서 극대이고, 극댓값은 $f(a)$ (2) $f'(x)$의 부호가 음에서 양으로 바뀌면 $f(x)$는 $x=a$에서 극소이고, 극솟값은 $f(a)$
(다) 두 함수 $f(x)$, $g(x)$가 미분가능하고 $f'(x)$, $g'(x)$가 닫힌구간 $[a,\ b]$에서 연속일 때, $$\int_a^b f(x)g'(x)dx=[f(x)g(x)]_a^b-\int_a^b f'(x)g(x)dx$$

함수 $f(x)$는

$$f(x)=\begin{cases} \frac{1}{2e}(x+3) & (-3\le x<-1) \\ (2x^2-1)e^{-x^2} & (-1\le x<1) \\ -\frac{1}{2e}(x-3) & (1\le x\le 3) \end{cases}$$

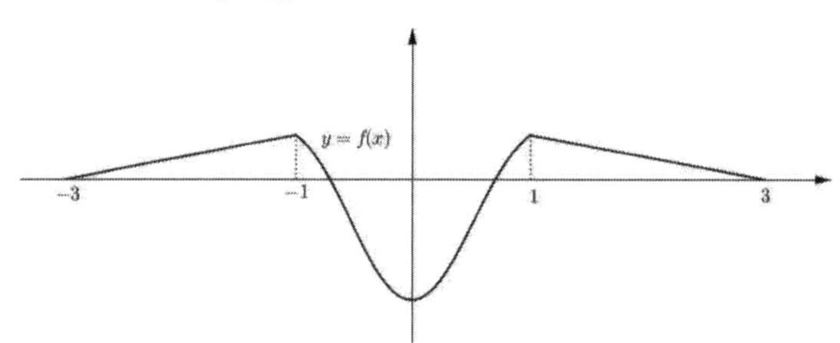

$-3\le a\le 3$에 대하여, 함수 $F(x)$는

$$F(x)=\int_a^x f(t)dt\ \ (-3\le x\le 3)$$

[논제 1] $\int_0^1 f(t)dt$**의 값을 구하시오. (15점)**

[논제 2] $-3\le x\le 3$**에서 곡선** $y=F(x)$**와** x**축이 한 점에서 만나도록 하는** a**의 값을 모두 구하시오. (20점)**

[논제 3] $g(x)=x-x^2+|x-x^2|$**에 대하여**

$$h(x)=16g\left(\frac{x}{4}\right)+8g\left(\frac{x}{2}-2\right)$$

라 할 때, 다음 조건을 만족시키는 실수 t의 값을 모두 구하시오. (20점)

각 t에 대하여, x에 대한 방정식 $th(x)=xh(t)$ 의 서로 다른 실근의 개수는 3이다.

[문제 2] 2024학년부터 '확률과 통계' 시험 범위 제외로 생략

단국대학교 DANKOOK UNIVERSITY

답안지 (자연계열)

※ 감독관 확인란	고교명	성 명
감독관 성명 :		

수	험	번	호				
⓪	⓪	⓪	⓪	⓪	⓪	⓪	⓪
①	①	①	①	①	①	①	①
②	②	②	②	②	②	②	②
③	③	③	③	③	③	③	③
④	④	④	④	④	④	④	④
⑤	⑤	⑤	⑤	⑤	⑤	⑤	⑤
⑥	⑥	⑥	⑥	⑥	⑥	⑥	⑥
⑦	⑦	⑦	⑦	⑦	⑦	⑦	⑦
⑧	⑧	⑧	⑧	⑧	⑧	⑧	⑧
⑨	⑨	⑨	⑨	⑨	⑨	⑨	⑨

【유의사항】

1. 수험생 작성란 이외의 부분을 작성하거나, 답안에 개인정보(학교명, 성명 등)를 유출시킬 수 있는 불필요한 표시 등이 있는 경우 부정행위로 간주하여 처리됩니다.
2. 수험생 인적사항과 답안은 반드시 검정색 필기구(연필, 샤프 사용불가)로 작성하십시오. (빨간색이나 파란색 사용금지)
3. 답안지는 교체가 불가합니다. 원고지 교정부호 또는 수정테이프를 사용하여 수정하시기 바랍니다.

※ 부분은 수험생이 작성하지 마십시오.

문제 1번 (반드시 해당문제와 일치하여야 하며, [논제1], [논제2], [논제3] 번호를 명시하고 답안을 작성하여야 함)

이 줄 아래는 답안 작성을 하지 마십시오.

문제 2번 (반드시 해당문제와 일치하여야 하며, [논제1], [논제2] 번호를 명시하고 답안을 작성하여야 함)

이 줄 아래는 답안 작성을 하지 마십시오.

11. 2021학년도 단국대 수시 논술 (오후)

[문제 1] 2024학년부터 '확률과 통계' 시험 범위 제외로 생략

[문제 2] 다음 제시문을 읽고 질문에 답하시오. (45점)

<제시문>

(가) 미분가능한 함수 $f(x)$가 $f'(a)=0$이고 $x=a$의 좌우에서 $f'(x)$의 부호가 양에서 음으로 바뀌면 $f(x)$는 $x=a$에서 극대, $f'(x)$의 부호가 음에서 양으로 바뀌면 $f(x)$는 $x=a$에서 극소이다.

(나) 닫힌구간 $[a, b]$에서 연속인 함수 $f(x)$에 대하여 미분가능한 함수 $x=g(t)$의 도함수 $g'(t)$가 닫힌구간 $[\alpha, \beta]$에서 연속이고, $a=g(\alpha)$, $b=g(\beta)$이면

$$\int_a^b f(x)dx = \int_\alpha^\beta f(g(t))g'(t)dt$$

(다) 두 함수 $f(x)$, $g(x)$가 미분가능하고 $f'(x)$, $g'(x)$가 닫힌구간 $[a, b]$에서 연속일 때,

$$\int_a^b f(x)g'(x)dx = [f(x)g(x)]_a^b - \int_a^b f'(x)g(x)dx$$

• 음이 아닌 실수 전체의 집합에서 연속인 함수 $f(x)$는 다음 (1), (2)를 만족시킨다.

(1) $f(0)=0$

(2) $x>0$에서 $f'(x)>1$

• 함수 $g(x)$는 $f(x)$의 역함수이다.

• 함수 $h(x)$는 다음 ③, ④, ⑤를 만족시킨다.

(3) 최고차항의 계수가 양수인 삼차함수

(4) $x=1$, 2에서 극값을 갖고 $h(1)h(2)=0$

(5) $\int_0^3 h(x)dx = \frac{3}{2}$

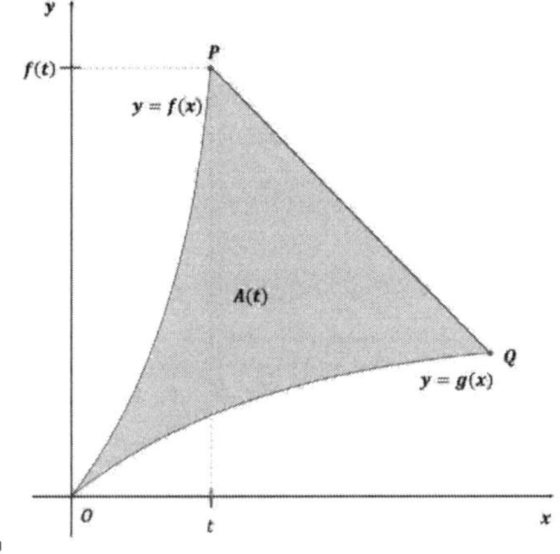

$t>0$에 대하여, 곡선 $y=f(x)$, 곡선 $y=g(x)$ 그리고 두 점 $P(t, f(t))$와 $Q(f(t), t)$를 잇는 직선으로 둘러싸인 영역의 넓이를 $A(t)$라고 하자.

[논제 1] $f(1)=2$이고 $\int_0^2 xg'(x)dx=1$일 때, $A(1)$의 값을 구하시오. (20점)

[논제 2] $A(2)=2\int_0^2 f(x)dx-\frac{7}{2}$일 때, $0 \le x \le 3$에서 곡선 $y=h(g(x))$와 직선 $y=\frac{1}{2}$의 교점의 개수를 구하시오. (25점)

DKU 단국대학교 DANKOOK UNIVERSITY

답안지 (자연계열)

※ 감독관 확인란	고교명	성 명
감독관 성명 :		

수	험	번	호				
⓪	⓪	⓪	⓪	⓪	⓪	⓪	⓪
①	①	①	①	①	①	①	①
②	②	②	②	②	②	②	②
③	③	③	③	③	③	③	③
④	④	④	④	④	④	④	④
⑤	⑤	⑤	⑤	⑤	⑤	⑤	⑤
⑥	⑥	⑥	⑥	⑥	⑥	⑥	⑥
⑦	⑦	⑦	⑦	⑦	⑦	⑦	⑦
⑧	⑧	⑧	⑧	⑧	⑧	⑧	⑧
⑨	⑨	⑨	⑨	⑨	⑨	⑨	⑨

【유의사항】

1. 수험생 작성란 이외의 부분을 작성하거나, 답안에 개인정보(학교명, 성명 등)를 유출시킬 수 있는 불필요한 표시 등이 있는 경우 부정행위로 간주하여 처리됩니다.
2. 수험생 인적사항과 답안은 반드시 검정색 필기구(연필, 샤프 사용불가)로 작성하십시오. (빨간색이나 파란색 사용금지)
3. 답안지는 교체가 불가합니다. 원고지 교정부호 또는 수정테이프를 사용하여 수정하시기 바랍니다.

※ 부분은 수험생이 작성하지 마십시오.

문제 1번 (반드시 해당문제와 일치하여야 하며, [논제1], [논제2], [논제3] 번호를 명시하고 답안을 작성하여야 함)

이 줄 아래는 답안 작성을 하지 마십시오.

문제 2번 (반드시 해당문제와 일치하여야 하며, [논제1], [논제2] 번호를 명시하고 답안을 작성하여야 함)

이 줄 아래는 답안 작성을 하지 마십시오.

12. 2021학년도 단국대 모의 논술

[문제 1] 다음 제시문을 읽고 질문에 답하시오. (55점)

<제시문>

(가) 다항식 $P(x)$를 다항식 $A(x)$로 나누었을 때의 몫을 $Q(x)$, 나머지를 $R(x)$라고 하면 $$P(x)=A(x)Q(x)+R(x)$$
(나) 미분가능한 함수 $f(x)$가 $x=a$에서 극값을 가지면 $f'(a)=0$
(다) 닫힌구간 $[a,\ b]$에서 연속인 함수 $f(x)$에 대하여 미분가능한 함수 $x=g(t)$의 도함수 $g'(t)$가 닫힌구간 $[\alpha,\ \beta]$에서 연속이고, $a=g(\alpha)$, $b=g(\beta)$이면 $$\int_a^b f(x)dx=\int_\alpha^\beta f(g(t))g'(t)dt$$
(라) 두 함수 $f(x)$, $g(x)$가 미분가능하고 $f'(x)$, $g'(x)$가 연속일 때, $$\int_a^b f(x)g'(x)dx=[f(x)g(x)]_a^b-\int_a^b f'(x)g(x)dx$$

다항함수 $f(x)$와 함수 $g(x)=\sqrt{1-x^2}$ 에 대하여

(1) $f(x)$를 $f'(x)$로 나누었을 때의 몫을 $Q(x)$, 나머지를 $R(x)$라 하자.

(2) 양의 실수 m에 대하여, 직선 $y=mx$와 곡선 $y=g(x)$가 만나는 점을 P라고 하자. 점 P에서 곡선 $y=g(x)$에 접하는 직선이 x축과 만나는 점을 A, y축과 만나는 점을 B라 할 때,

- 점 A의 x좌표의 값과 점 B의 y좌표의 값 중 크지 않은 값을 반지름의 길이로 하고 중심이 P인 원의 넓이를 $C(m)$이라 하자.
- 삼각형 OAB의 넓이를 $S(m)$이라 하자. (단, O는 원점이다)

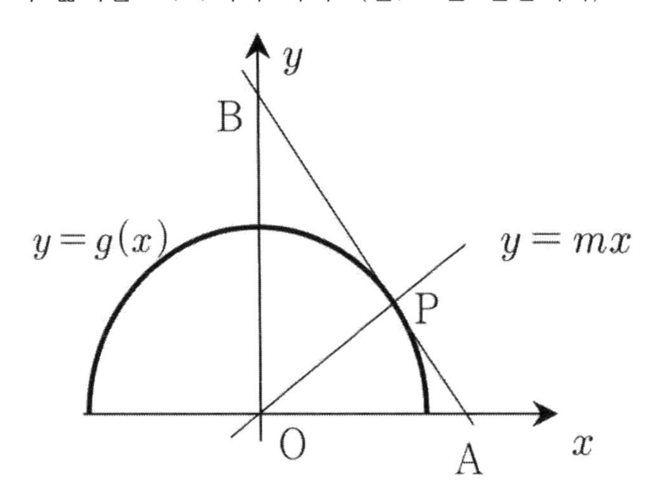

[논제 1] 다항함수 $f(x)$가 $x=x_1$, $x=x_2$, $\cdots$, $x=x_n$에서 극값을 가질 때, 점 $(x_1,\ f(x_1))$, $(x_2,\ f(x_2))$, $\cdots$, $(x_n,\ f(x_n))$은 곡선 $y=R(x)$위에 있음을 설명하시오. (15점)

[논제 2] 최고차항의 계수가 1인 삼차함수 $f(x)$에 대하여 $Q(x)$와 $R(x)$가

$$\frac{1}{\pi}\int_{1-t}^{1+t} C(m)dm = R(t) - \frac{1}{3Q(t)} - \frac{1}{3}(1-t)^3, \quad (0 < t < 1)$$

을 만족시킬 때, $f(1)$의 값을 구하시오. (20점)

[논제 3] $\int_{1}^{2} m\ln(S(m))dm - \int_{1}^{2} \frac{\ln(S(m))}{m^3}dm$의 값을 구하시오. (20점)

[문제 2] 2024학년부터 '확률과 통계' 시험 범위 제외로 생략

DKU 단국대학교 DANKOOK UNIVERSITY

답안지 (자연계열)

수	험	번	호				
⓪	⓪	⓪	⓪	⓪	⓪	⓪	⓪
①	①	①	①	①	①	①	①
②	②	②	②	②	②	②	②
③	③	③	③	③	③	③	③
④	④	④	④	④	④	④	④
⑤	⑤	⑤	⑤	⑤	⑤	⑤	⑤
⑥	⑥	⑥	⑥	⑥	⑥	⑥	⑥
⑦	⑦	⑦	⑦	⑦	⑦	⑦	⑦
⑧	⑧	⑧	⑧	⑧	⑧	⑧	⑧
⑨	⑨	⑨	⑨	⑨	⑨	⑨	⑨

※ 감독관 확인란	고 교 명	성 명
감독관 성명 :		

【유의사항】

1. 수험생 작성란 이외의 부분을 작성하거나, 답안에 개인정보(학교명, 성명 등)를 유출시킬 수 있는 불필요한 표시 등이 있는 경우 부정행위로 간주하여 처리됩니다.
2. 수험생 인적사항과 답안은 반드시 검정색 필기구(연필, 샤프 사용불가)로 작성하십시오. (빨간색이나 파란색 사용금지)
3. 답안지는 교체가 불가합니다. 원고지 교정부호 또는 수정테이프를 사용하여 수정하시기 바랍니다.

※ 부분은 수험생이 작성하지 마십시오.

문제 1번 (반드시 해당문제와 일치하여야 하며, [논제1], [논제2], [논제3] 번호를 명시하고 답안을 작성하여야 함)

이 줄 아래는 답안 작성을 하지 마십시오.

문제 2번 (반드시 해당문제와 일치하여야 하며, [논제1], [논제2] 번호를 명시하고 답안을 작성하여야 함)

이 줄 아래는 답안 작성을 하지 마십시오.

VI. 예시 답안

1. 2024학년도 단국대 수시 논술 (오전)

[문제 1]

[논제 1] 곡선 $y=f(x)$와 x축으로 둘러싸인 영역의 넓이를 구하시오. (15점)

[논제 2] 삼차함수 $p(x)$를 구하시오. (20점)

[논제 3] 구간 $\left(-\frac{\pi}{2},\ \frac{\pi}{2}\right)$에서 다음 조건을 만족시키는 상수 a의 개수를 구하시오. (20점)

함수 $h(x)$는 $x=a$에서 극값을 갖는다.

[문제 2]

[논제 1] 좌표평면 위의 세 점 $\mathrm{A}(-k,\ 0)$, $\mathrm{B}(k,\ 0)$, $\mathrm{C}(k,\ 1)$을 꼭짓점으로 하는 삼각형 ABC의 세 변과 곡선 $y=f(x)$가 서로 다른 네 점에서 만나도록 하는 상수 k의 범위를 구하시오. (단, $k>0$) (20점)

[논제 2] 제시문 (라)를 참조하여, $(\beta^{-1}\circ\alpha)(\ln 2)$의 값을 구하시오. (25점)

[문제 1]

[논제 1]

$$f(x)=||\tan x|-1|=\begin{cases}\tan x-1\left(\frac{\pi}{4}\le x<\frac{\pi}{2}\right)\\-\tan x+1\left(0\le x<\frac{\pi}{4}\right)\\\tan x+1\left(-\frac{\pi}{4}\le x<0\right)\\-\tan x-1\left(-\frac{\pi}{2}<x<-\frac{\pi}{4}\right)\end{cases}$$

이고, $f\left(\frac{\pi}{4}\right)=f\left(-\frac{\pi}{4}\right)=0$. **따라서 구하는 넓이** S**는**

$$S=\int_{-\frac{\pi}{4}}^{\frac{\pi}{4}}f(x)dx=\frac{\pi}{2}-2\int_0^{\frac{\pi}{4}}\tan x dx=\frac{\pi}{2}-\ln 2$$

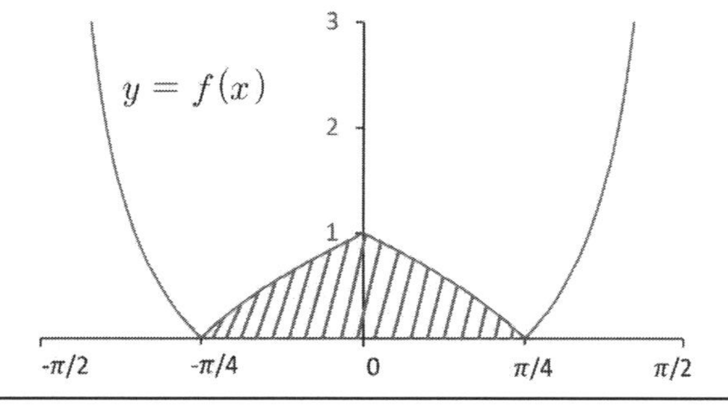

[논제 2] 함수 $g(x)=f(x)p(x)$**는 구간** $\left(-\frac{\pi}{2},\ \frac{\pi}{2}\right)$**에서** $x\neq\frac{\pi}{4},\ 0,\ -\frac{\pi}{4}$**일 때 미분가능하고 도함수는**

$$g'(x)=f'(x)p(x)+f(x)p'(x)$$

이다. 한편, $f(x)$**는** $x=\frac{\pi}{4},\ 0,\ -\frac{\pi}{4}$**에서 미분가능하지 않다. 따라서 조건 (1)로부터**

$$p\left(\frac{\pi}{4}\right)=p(0)=p\left(-\frac{\pi}{4}\right)=0$$

이어야 하므로, 적당한 상수 $a(a\neq 0)$**에 대하여**

$$p(x)=ax\left(x-\frac{\pi}{4}\right)\left(x+\frac{\pi}{4}\right)=a\left(x^3-\frac{\pi^2}{16}x\right) \cdots\cdots ①$$

이다.

$h(0)=0,\ h(x)\geq 0$**으로부터**

$$\lim_{t\to 0+}\frac{h(t)-h(0)}{t}=\lim_{t\to 0+}\frac{h(t)}{t}\geq 0,\quad \lim_{t\to 0-}\frac{h(t)-h(0)}{t}=\lim_{t\to 0-}\frac{h(t)}{t}=-\lim_{t\to 0+}\frac{h(t)}{t}\leq 0$$

이므로 $h(x)$**가** $x=0$**에서 미분가능하려면** $\lim_{t\to 0+}\frac{h(t)}{t}=\lim_{t\to 0-}\frac{h(t)}{t}=0$**이다. 또한,**

$$-h(t)\leq \tan t+p(t)\leq h(t)$$

이므로

$$0=-\lim_{t\to 0+}\frac{h(t)}{t}\leq \lim_{t\to 0}\frac{\tan t+p(t)}{t}\leq \lim_{t\to 0+}\frac{h(t)}{t}=0$$

따라서 $a=\frac{16}{\pi^2},\ p(x)=\frac{16}{\pi^2}x^3-x$**이다.**

[논제 3] $\tan x+p(x)$**는 미분가능하고,** $\tan x+p(x)$**의 도함수는**

$$\sec^2 x+p'(x)=\sec^2 x+\frac{48}{\pi^2}x^2-1=\tan^2 x+\frac{48}{\pi^2}x^2\geq 0$$

이므로 구간 $\left(-\frac{\pi}{2},\ \frac{\pi}{2}\right)$**에서 함수** $\tan x+p(x)$**는 증가한다.**

또한, $h(0)=0$**이므로 함수** $h(x)=\left|\tan x+\frac{16}{\pi^2}x^3-x\right|$**는** $x<0$**일 때 감소하고** $x>0$**일 때 증가한다. 따라서 극값을 갖는** x**의 개수는 1개다.**

[문제 2]

[논제 1] 함수 $f(x)=\frac{e^x}{e^x+1}$**의 그래프의 개형을 생각해 보자.** $f(x)$**는 연속함수이고 미분가능하며**

$$f'(x)=\frac{e^x}{(e^x+1)^2},\quad f''(x)=\frac{e^x(1-e^x)}{(e^x+1)^3}$$

이므로 $f(x)$**는 증가함수이고, 구간** $[-k,\ k]$**에서**

$$\text{최솟값 } f(-k)=\frac{1}{e^k+1},\ \text{최댓값 } f(k)=1-\frac{1}{e^k+1}$$

을 갖고 $f(0)=\frac{1}{2}$**이다. 또한**

$x<0$**일 때** $f'(x)$**가 증가하고** $x>0$**일 때** $f'(x)$**가 감소**

한다. 제시운 (나)에 의하여 $f(x)$**의 증가와 감소에 관한 표와 그래프는 아래와 같다.**

x	$-k$	$\cdots$	0	$\cdots$	k
$f'(x)$		$+$	$1/4$	$+$	
$f''(x)$		$+$	0	$-$	
$f(x)$	$1/(e^k+1)$	↗	$1/2$	↗	$1-1/(e^k+1$

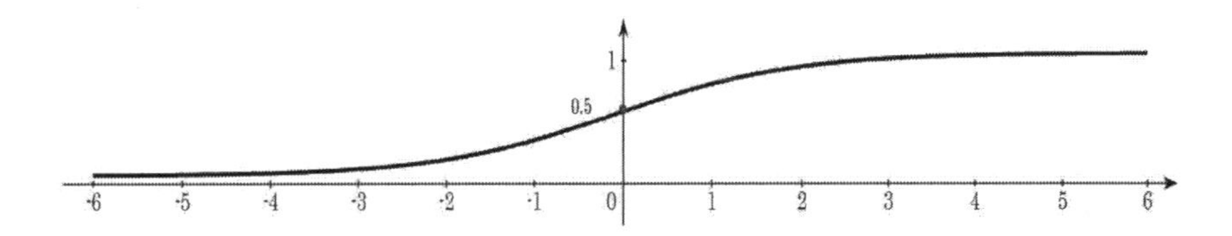

변 AB**와 곡선** $y=f(x)$**는 만나지 않고, 변** BC**와 곡선** $y=f(x)$**는 한 점에서 만나므로 변** AC**와 곡선** $y=f(x)$**는 세 점에서 만나야 한다. 즉, 점** $\mathrm{A}(-k,\ 0)$**과 점** $\mathrm{C}(k,\ 1)$**을 지나는 직선의 방정식** $y=\frac{1}{2k}x+\frac{1}{2}$**과 곡선** $y=\frac{e^x}{e^x+1}$**은** $-k\le x\le k$**의 범위에서 서로 다른 세 점에서 만나야 한다. 직선** $y=\frac{1}{2k}x+\frac{1}{2}$**이 곡선** $y=f(x)$**와 점** $\left(0,\ \frac{1}{2}\right)$**에서 접할 때**

$$(\text{직선의 기울기})=\frac{1}{2k}=f'(0)=\frac{1}{4}$$

이다. 따라서, $f(x)$**의 그래프의 개형에 의하여, 곡선** $y=f(x)$**가 직선** $y=\frac{1}{2k}x+\frac{1}{2}$**과 서로 다른 세 점에서 만나려면 (직선의 기울기)** $=\frac{1}{2k}<\frac{1}{4}$**, 즉** $k>2$**이어야 한다. 또한**

$$f(-k)=\frac{1}{e^k+1}>0,\quad f(k)=1-\frac{1}{e^k+1}<1$$

이므로 세 교점의 x**좌표는 모두** $-k\le x\le k$**의 범위에 있다.**

결국 삼각형 ABC**와 곡선** $y=\frac{e^x}{e^x+1}$**이 서로 다른 네 점에서 만나도록 하는 양의 실수** k**의 범위는** $k>2$**이다.**

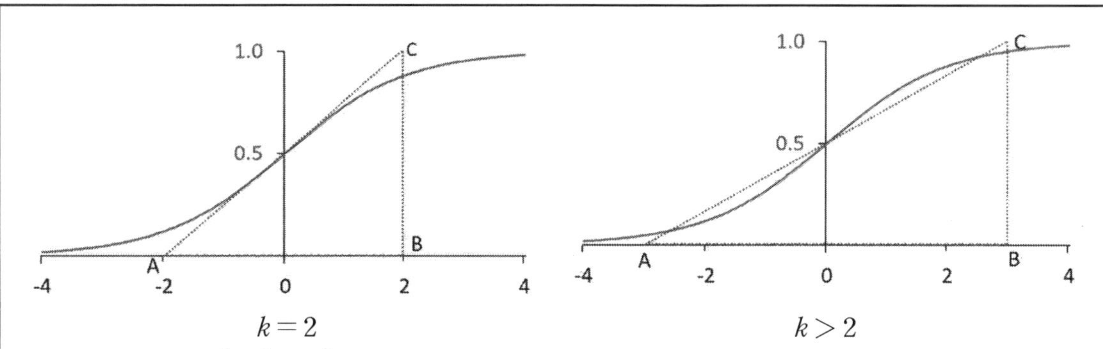

$k=2$ $\qquad\qquad$ $k>2$

[논제 2] $g(x)=(\beta^{-1}\circ\alpha)(x)$**라 하면** $\alpha(x)=(\beta\circ g)(x)$**이므로 제시문 (라)에 의해서**

$$\int_0^{\ln 2}\sqrt{f(t)}\,dt=\int_{g(0)}^{g(\ln 2)}\frac{2}{1-t^2}dt$$

$$g(0)=\sqrt{f(0)}=\sqrt{\frac{1}{2}}\ \cdots\cdots\cdots\cdots\cdots①$$

을 만족시키는 치환 $u=g(t)$**를 구하면 된다. ①을 만족시키기 위해서** $u=\sqrt{f(t)}$**로 치환해 보자.** $u^2=f(t)$**이므로**

$$2u\frac{du}{dt}=f'(t)=\frac{e^t}{(1+e^t)^2}=\left(\frac{e^{2t}}{(1+e^t)^2}\frac{1}{e^t}\right)=u^4\left(\frac{1}{u^2}-1\right)=u^2(1-u^2)$$

이다. 따라서

$$\int_0^{x}\sqrt{f(t)}\,dt=\int_c^{g(x)}\frac{2}{1-u^2}du$$

가 성립한다. 그러므로 $(\beta^{-1}\circ\alpha)(\ln 2)=\sqrt{f(\ln 2)}=\sqrt{\frac{2}{3}}$**.**

※ 1. **치환한 후 피적분함수** $\frac{2}{1-u^2}$**가 나오지 않는 경우 치환을 반복하여** $\frac{2}{1-u^2}$**를 구할 수 있다.**

2. **함수** $\alpha(x)$**와** $\beta(x)$**를 구해서 정답을 제시해도 된다.**

2. 2024학년도 단국대 수시 논술 (오후)

[문제 1] 두 함수 $f(x)$와 $g(x)$를

$$f(x)=\int_1^x\frac{2t}{t^2+3}dt,\quad g(x)=ax+\frac{8}{x^2+3}$$

라 하자. (단, a는 상수)

[논제 1] 곡선 $y=f(x)$가 x축과 만나는 두 점과 곡선 $y=f(x)$위의 점 $(t,\ f(t))$를 세 꼭짓점으로 하는 삼각형의 넓이가 $\ln\frac{4}{3}$가 되는 상수 t의 값을 모두 구하시오. (15점)

[논제 2] 다음 조건을 만족시키는 실수 a의 범위를 구하시오. (20점)

함수 $g(x)=ax+\dfrac{8}{x^2+3}$는 $x=\alpha,\ \beta(\alpha<\beta)$에서만 극값을 갖고, $g(\alpha)>g(\beta)$이다.

[논제 3] 실수 전체의 집합에서 미분가능한 함수 $h(x)$는 다음 조건을 만족시킨다.

(1) $h(0)+g''(0)=f(-1)$ (2) $h(1)+g(1)=g'(-1)$ (3) $\displaystyle\int_0^1 \frac{h'(x)}{x^2+3}dx=-1$

정적분 $\displaystyle\int_0^{\frac{\pi}{2}} \frac{\sin 2x h(\cos x)}{(3+\cos^2 x)^2}dx$의 값을 구하시오. (20점)

[문제 2]

[논제 1] 최고차항의 계수가 음수인 이차함수 $f(x)$에 대하여 함수 $g(x)$를

$$g(x)=f(x)e^x$$

라 하자. 다음 조건을 만족시키는 $f(1)$의 최댓값을 구하시오. (20점)

(1) 곡선 $y=g(x)$는 두 개의 변곡점 $(-5,\ g(-5))$, $(1,\ g(1))$을 갖는다. (2) 모든 $x>0$에 대하여 $g'(x)\le 2$이다.

[논제 2] 최고차항의 계수가 양수 a인 삼차함수 $h(x)$에 대하여 함수 $k(x)$를

$$k(x)=h(x)e^{h(x)}-2\int_0^x e^{h(t)}h'(t)dt$$

라 하자. $h(x)$와 $k(x)$가 다음 조건을 만족시킬 때, a의 값을 구하시오. (25점)

(1) 함수 $k(x)$는 $x=r,\ 0,\ 2$에서만 극값을 갖는다. (단, $r\ne 0,\ 2$) (2) $h(r)=3$ (3) $h(2)\le 1$

[문제 1]

[논제 1] 먼저 $f(x)=\displaystyle\int_1^x \frac{2t}{t^2+3}dt=\ln(x^2+3)-\ln 4=\ln\frac{x^2+3}{4}$**이다.**

곡선 $y=f(x)$**가** x**축과 만나는 점의** x**좌표는** $-1,\ 1$**이므로 삼각형 밑변의 길이는** 2**이고 높이는** $\left|\ln\dfrac{t^2+3}{4}\right|$**이다. 따라서**

$$\textbf{(삼각형 넓이)}=\left|\ln\frac{t^2+3}{4}\right|=\ln\frac{4}{3}$$

에서

$$t=0,\ \frac{\sqrt{21}}{3},\ -\frac{\sqrt{21}}{3}$$

이다.

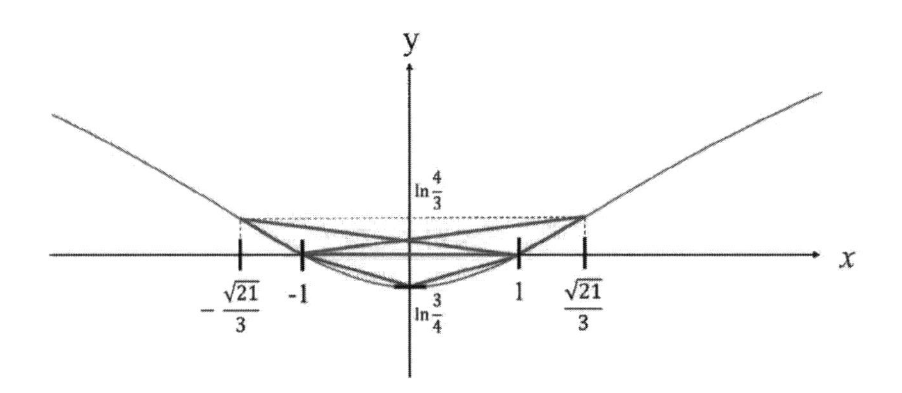

[논제 2] 먼저 $g(x)$의 극값이 두 개이므로 $\alpha<\beta$일 때, " $g(\alpha)>g(\beta)$"은

"함수 $g(x)$가 $x=\alpha$에서 극댓값을 갖고, $x=\beta$에서 극솟값을 갖는다"

와 필요충분조건이다. 함수 $g'(x)=a-\dfrac{16x}{(x^2+3)^2}$의 그래프의 개형을 그리자.

$$g''(x)=-\frac{16(x^2+3)^2-64x^2(x^2+3)}{(x^2+3)^4}=\frac{48(x^2-1)}{(x^2+3)^3}$$

이므로 $g'(x)$는 $x=-1$에서 극댓값 $a+1$, $x=1$에서 극솟값 $a-1$을 갖는다.
한편 $g'(0)=a$이고

$$\begin{cases} g'(x)<a & (x>0) \\ g'(x)>a & (x<0), \end{cases} \quad \lim_{x\to\pm\infty} g'(x)=a$$

이므로 함수 $g'(x)$의 그래프의 개형은 다음과 같다.

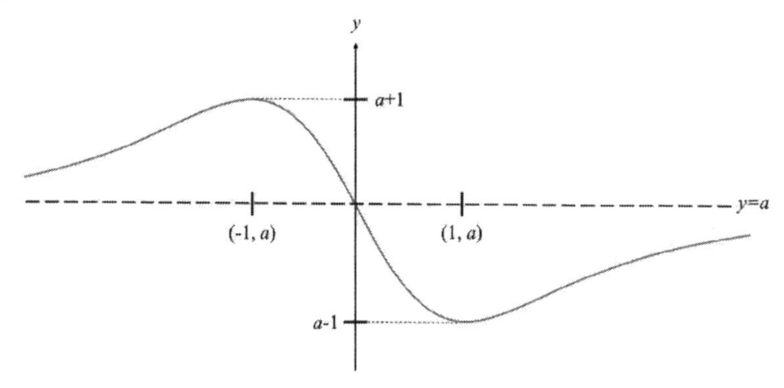

($y=g'(x)$의 그래프)

그러므로 함수 $g(x)$가 $x=\alpha$에서 극대이고 $x=\beta$ $(\alpha<\beta)$에서 극소를 갖기 위해서는 제시운 (나)에 의해서 x축이 직선 $y=a-1$과 $y=a$ 사이에 놓여 있어야 한다. 따라서 $a-1<0<a$. 즉 $0<a<1$이다.

(별해) $g'(x)=\dfrac{a(x^2+3)^2-16x}{(x^2+3)^2}$**가** $x=\alpha,\ \beta$**에서 극값을 가질 필요충분조건은**

$$G(x)=a(x^2+3)^2-16x$$

가 $x=\alpha,\ \beta$**에서 극값을 갖는 것이다. 따라서** $G(x)$**가 극대, 극소가 되는** $x=\alpha,\ \beta$**를 파악해도 된다.**

[논제 3] $g'(x)=a-\dfrac{16x}{(x^2+3)^2}$**이고** $g''(x)=-\dfrac{16}{(x^2+3)^2}+\dfrac{64x^2}{(x^2+3)^3}$**이므로**

$$f(-1)=0,\ g(1)=a+2,\ g'(-1)=a+1,\ g''(0)=-\frac{16}{9}$$

이다. 조건 (1)과 (2)에 의하여

$$h(0)=\frac{16}{9},\quad h(1)=g'(-1)-g(1)=-1$$

이다. $\sin 2x=2\sin x\cos x$**이므로** $\cos x=u$**라 하면**

$$\int_0^{\frac{\pi}{2}}\frac{\sin 2x h(\cos x)}{(3+\cos^2 x)^2}dx=\int_0^{\frac{\pi}{2}}\frac{2\sin x\cos x h(\cos x)}{(3+\cos^2 x)^2}dx=\int_0^1\frac{2uh(u)}{(u^2+3)^2}du$$

이다. 여기서 $k(u)=\dfrac{1}{u^2+3}$**이라고 하면** $k'(u)=-\dfrac{2u}{(u^2+3)^2}$**이므로**

부분적분법을 이용하면

$$\begin{aligned}\int_0^1\frac{2uh(u)}{(u^2+3)^2}du&=-\int_0^1 k'(u)h(u)du\\&=-[k(u)h(u)]_0^1+\int_0^1 k(u)h'(u)du\\&=-k(1)h(1)+k(0)h(0)+\int_0^1\frac{h'(u)}{u^2+3}du\\&=-\frac{1}{4}h(1)+\frac{1}{3}h(0)+\int_0^1\frac{h'(u)}{u^2+3}du=-\frac{17}{108}\end{aligned}$$

이다.

[문제 2]

[논제 1] $f(x)=ax^2+bx+c\ (a<0)$**라 하면** $g''(x)=\{ax^2+(4a+b)x+2a+2b+c\}e^x$**이다.**

조건 (1)에서 $g''(1)=g''(-5)=0$**이므로 근과 계수와의 관계로부터**

$$\frac{4a+b}{a}=4,\quad \frac{2a+2b+c}{a}=-5$$

이므로, $b=0$**이고** $c=-7a$**이다. 따라서**

$$f(x)=a(x^2-7),\ g(x)=a(x^2-7)e^x$$

또한 $x=-5,\ 1$의 좌우에서 $g''(x)$의 부호가 바뀌므로 조건 (1)을 만족시킨다.
조건 (2)에서 $x>0$일 때, $g'(x)\le 2$이므로

$$g'(x)=a(x^2+2x-7)e^x \le 2$$

이다. 따라서 $x>0$일 때,

$$(x^2+2x-7)e^x \ge \frac{2}{a}$$

이다. 한편 $m(x)=(x^2+2x-7)e^x$라 하자. $m'(x)=(x+5)(x-1)e^x$에서 방정식 $m'(x)=0$의 해는 $x=1$ 또는 $x=-5$이다. $x>0$일 때, 함수 $m(x)$의 증가와 감소를 표로 나타내면 다음과 같다.

x	0	$\cdots$	1	$\cdots$
$m'(x)$		$-$	0	$+$
$m(x)$		↘	$-4e$	↗

위 표로부터 $x>0$일 때 $m(x)$는 $x=1$에서 최솟값 $m(1)=-4e$을 가진다. 따라서 $\frac{2}{a}\le -4e$이고 a는 음수이므로

$$-\frac{1}{2e}\le a<0 \quad \cdots\cdots ①$$

$f(x)=a(x^2-7)$이므로

$$f(1)=-6a \quad \cdots\cdots ②$$

①과 ②에서

$$f(1)=-6a\le \frac{3}{e}$$

이다. 따라서 $f(1)$의 최댓값은 $a=-\frac{1}{2e}$일 때 $\frac{3}{e}$이다.

[논제 2] $k'(x)=h'(x)\{h(x)-1\}e^{h(x)}$이고 $k'(x)=0$에서

$$h'(x)=0 \text{ 이거나 } h(x)=1$$

이다. $h'(x)=0$이 중근을 갖거나 근을 갖지 않는 경우, $h(x)=1$은 하나의 근을 갖는다. 이것은 조건 (1)에 모순이다. 따라서 방정식 $h'(x)=0$은 서로 다른 두 근을 갖는다.
방정식 $h'(x)=0$의 두 근이

0, 2인 경우, 0, r인 경우, 2, r인 경우

로 나누어 생각하자.

(ⅰ) 두 근이 0, 2인 경우: $h(r)=1$이므로 조건 (2)에 모순이다.

(ⅱ) 두 근이 0, r인 경우: $r<0$인 경우와 $r>0$인 경우로 나누어 생각하자.

- $r<0$일 때, 조건 (1)에 의하여 $h(0)=1$이므로 조건 (3)에 모순이다.

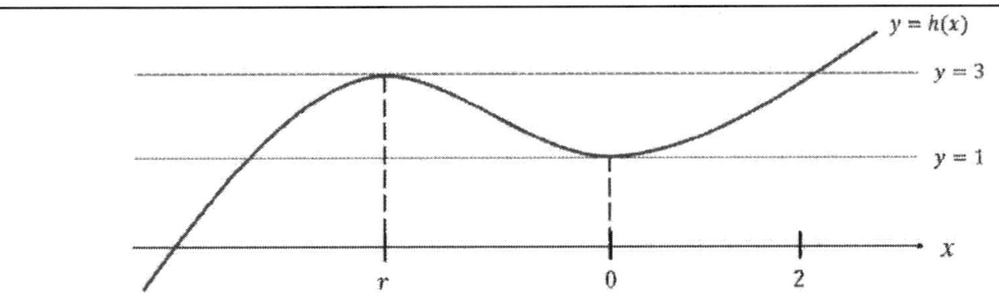

- $r>0$일 때, 조건 (3)에 모순이다.

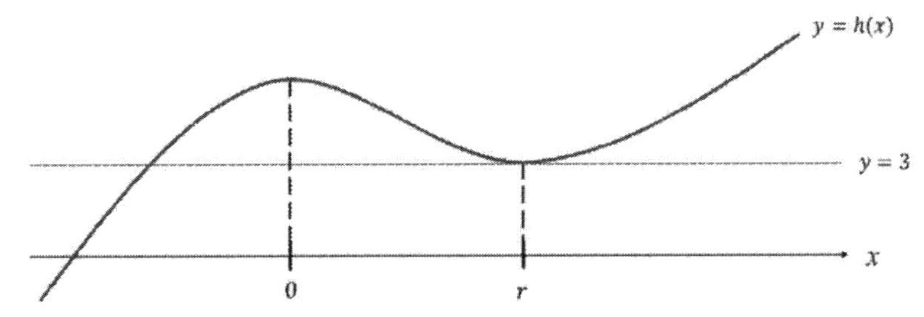

따라서 두 근은 2와 r이다. (이때 $h(0)=1$) 이 경우도 0, r, 2의 크기 비교를 위해, $r<0$인 경우와 $0<r<2$, $r>2$인 경우로 나누어 생각하자.

- $2<r$일 때, $1 \geq h(2)>h(r)=3$이므로 모순이다.

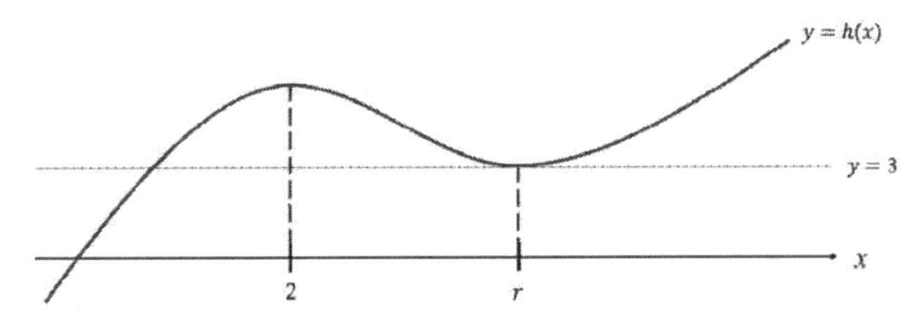

- $r<0$일 때, $h(0)=1$이고 $h(2)$는 극솟값이고 $h(x)=1$의 해가 3개이므로 조건 (1)에 모순이다.

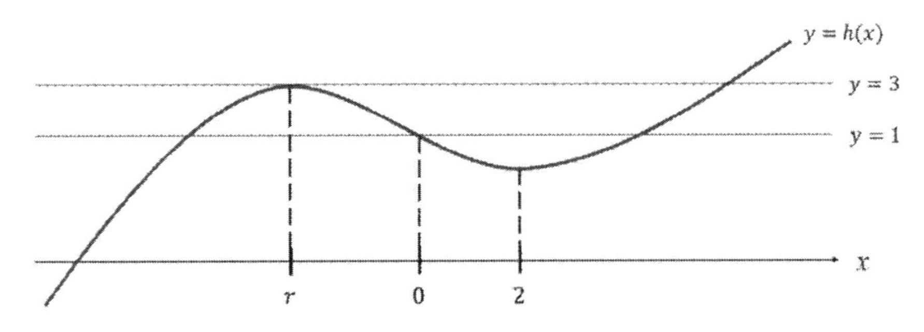

그러므로

$$0<r<2$$

이고, $h(x)$의 그래프는 아래와 같다.

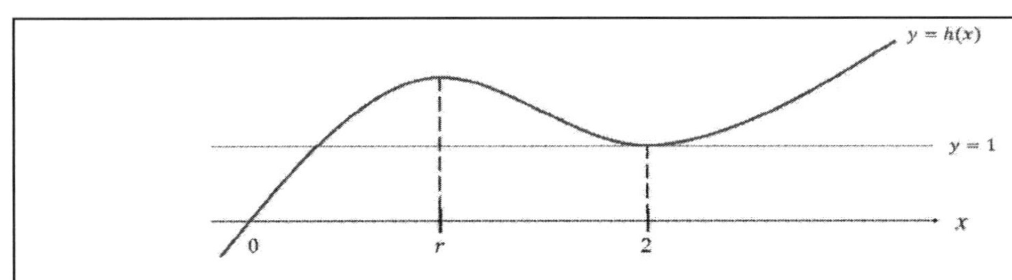

$h(x)-1=0$의 근은 $x=0,\ 2$(중근)이므로

$$h(x)-1=ax(x-2)^2 \quad \cdots\cdots\cdots\cdots ③$$

이다.

$$h'(x)=a(x-2)(3x-2)$$

이므로 $r=\frac{2}{3}$이다. $h\left(\frac{2}{3}\right)=3$이므로 ③으로부터 $a=\frac{27}{16}$이다.

3. 2024학년도 단국대 모의 논술

[문제 1]

[논제 1] 자연수 ℓ에 대하여 $g(0)=\ell,\ g'(0)=\frac{2}{3}\ell$일 때, 함수 $F(x)$의 극값이 모두 정수가 되도록 하는 ℓ의 개수를 구하시오. (15점)

[논제 2] 3보다 큰 상수 s에 대하여 두 곡선 $y=f(x)$와 $y=g(x)$는 다음 조건을 만족시킨다.

> 두 곡선 $y=f(x)$와 $y=g(x)$가 점 $(s,\ f(s))$에서 만나고 이 점에서의 접선이 서로 수직이다.

함수 $G(x)$가 $x=s$에서 극댓값을 가질 때, $G(s)$의 값을 구하시오. (20점)

[논제 3] $\alpha<t<\beta$인 실수 t에 대하여 직선 $x=-t$와 곡선 $y=h(x)$의 교점을 P라 하고, 직선 $x=t$와 곡선 $y=k(x)$의 교점을 Q라 할 때, 사각형 AQBP의 넓이를 $S(t)$라 하자. 두 함수 $h(x)$와 $k(x)$는 다음 조건을 만족시킨다.

> (1) $\int_{\frac{\alpha}{2}}^{\frac{\beta}{2}} S(t)dt=22a^2\alpha\beta+33(b+c)$
>
> (2) $h(4)>k(4)$

$\sum_{n=3}^{11}h(n)-\sum_{n=1}^{9}k(n)$의 값을 구하시오. (20점)

[문제 2]

• 함수 $f(x)=x^3-3x^2-3mx+5$라 하자. (단, m은 자연수)

[논제 1] $m=1$일 때, 함수 $g(x)$는

$$g(x)=\begin{cases}-\frac{1}{2}(x^3-9x+10) & (x<0)\\ f(x)e^x & (x\ge 0)\end{cases}$$

모든 실수 x에 대하여 함수 $g(x)g(x+k)$가 연속이 되도록 하는 실수 k의 값을 모두 구하시오. (20점)

[논제 2] 함수 $f(x)$는 $x=a$와 $x=b$에서 극값을 갖는다. (단, $-2<a<-\frac{1}{2}$이고 $1<b<3$) 실수 전체의 집합에서 정의된 함수 $h(x)$는 다음 조건을 만족시킨다.

(!) $0\le x\le 2$에서 $h(x)=2f(x)$ (2) 모든 실수 x에 대하여 $h(-x)=h(x)$ (3) 모든 실수 x에 대하여 $h(x+4)=h(x)$

정적분 $\int_0^{33}h(x)dx$의 값을 구하시오. (25점)

[문제 1]

[논제 1] $g(0)=\ell$, $g'(0)=\frac{2}{3}\ell$**이므로** $g(x)=x^2+\left(\frac{2}{3}\ell\right)x+\ell$**이다. 판별식** $D=\frac{4\ell(\ell-9)}{9}$**로부터** $\ell\ge 10$**이면** $F(x)=0$**은 서로 다른 실근을 3개 이상 가지게 되므로** $F(x)<0$**이 되는** x**가 존재한다.**

따라서 $1\le\ell\le 9$. **한편** $F(3)=0$**이고 모든 실수** x**에 대하여** $F(x)\ge 0$**이므로** $F(x)$**는** $x=3$**에서 극솟값** 0**을 갖는다. 따라서** $F'(3)=0$**이고** $g(3)>0$**이므로** $f(x)=(x-3)^2$**이고,**
$F'(x)=2x(x-3)(2x-3+\ell)$

(i) $\ell\ne 3$**인 경우 :** $F(x)$**는** $x=0$, $x=3$, $x=\frac{3-\ell}{2}$**에서 극값을 갖는다.** $F(0)$**과** $F(3)$**은 정수이고, 극값**

$$F\left(\frac{3-\ell}{2}\right)=-\frac{1}{48}(\ell-9)(\ell+3)^3$$

은 $\ell=9$**일 때만 정수가 된다.**

(ii) $\ell=3$**인 경우 :** $F(x)$**는** $x=3$**에서만 극값을 갖고** $F(3)=0$**이므로 정수이다.**

(i), (ii)**에 의해 자연수** ℓ**의 개수는** 2

[논제 2] $G'(x)=F'(x)e^{F(x)}$**이고** $e^{F(x)}>0$**이므로 두 함수** $G(x)$**와** $F(x)$**가 극값을 갖는** x**의 값은 서로 같다.** $F(3)=0$**이고 모든 실수** x**에 대하여** $F(x)\ge 0$**이므로** $F(x)$**는** $x=3$**에서 극솟값을 갖는다. 따라서,**

$$F'(3)=f'(3)g(3)+f(3)g'(3)=0$$

에서 $f'(3)g(3)=0$**이므로** $f'(3)=0$ **또는** $g(3)=0$.

(i) $g(3)=0$**인 경우 :**

$$f(x)=(x-3)(x-\alpha),\quad g(x)=(x-3)(x-\beta)$$

라 할 때, $\alpha=3$**또는** $\beta=3$**이면** $F(x)$**가 극댓값을 갖지 않는다. 따라서** $\alpha\neq3$, $\beta\neq3$**이다. 또한,** $F(x)=0$**은 서로 다른 실근을** 3**개 이상 갖지 않으므로** $\alpha=\beta$**이다. 그러나 이 경우** $f(x)=g(x)$**이므로 논제의 조건을 만족하는 교점이 존재하지 않는다.**

(ⅱ) $f'(3)=0$**인 경우 :** $f(x)=(x-3)^2$

한편 논제의 조건에 의해 $f'(s)g'(s)=-1$**이고** $f(s)=g(s)$**이므로**

$$F'(s)=f'(s)g(s)+f(s)g'(s)=f(s)(f'(s)+g'(s))=0$$

$s>3$**에 대하여** $f(s)>0$**이므로** $f'(s)+g'(s)=0$**. 두 식**

$$f'(s)g'(s)=-1,\quad f'(s)+g'(s)=0$$

이고 $f'(s)>0$**이므로** $f'(s)=2(s-3)=1$**에서** $s=\dfrac{7}{2}$

$$g\left(\frac{7}{2}\right)=f\left(\frac{7}{2}\right),\quad g'\left(\frac{7}{2}\right)=-1$$

에서 $g(x)=x^2-8x+16=(x-4)^2$**이므로** $F(x)=(x-3)^2(x-4)^2$**이고**

$$F\left(\frac{7}{2}\right)=\left(\frac{7}{2}-3\right)^2\left(\frac{7}{2}-4\right)^2=\frac{1}{16}.$$

그러므로 $G\left(\dfrac{7}{2}\right)=e^{\frac{1}{16}}$**.**

[논제 3] $b+c=M$**라 하면** $-ax^2+b=ax^2-c$**에서** $\alpha=-\sqrt{\dfrac{M}{2a}}$**이고** $\beta=\sqrt{\dfrac{M}{2a}}$**이므로**

$$\mathrm{A}\left(-\sqrt{\frac{M}{2a}},\ \frac{b-c}{2}\right),\ \mathrm{B}\left(\sqrt{\frac{M}{2a}},\ \frac{b-c}{2}\right)$$

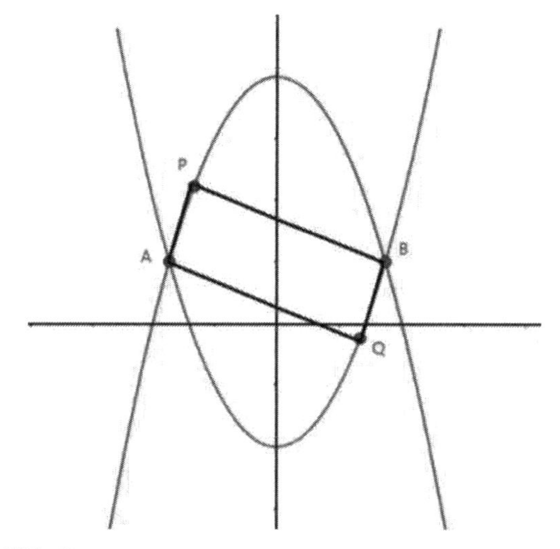

$\alpha<t<\beta$**인 실수** t**에 대하여**

$$\mathrm{P}(-t,\ -at^2+b),\ \mathrm{Q}(t,\ at^2-c)$$

이고 $\beta-\alpha=2\sqrt{\frac{M}{2a}}$, $\alpha\beta=-\frac{M}{2a}$**이므로**

$$S(t)=\frac{1}{2}(\beta-\alpha)\left[h(-t)-\frac{b-c}{2}\right]+\frac{1}{2}(\beta-\alpha)\left[\frac{b-c}{2}-k(t)\right]=\sqrt{\frac{M}{2a}}(-2at^2+M)$$

따라서,

$$\int_{\frac{\alpha}{2}}^{\frac{\beta}{2}}S(t)dt=\sqrt{\frac{M}{2a}}(\beta-\alpha)\left\{-\frac{1}{12}a(\beta^2+\alpha^2+\alpha\beta)+\frac{M}{2}\right\}$$

$\beta^2+\alpha^2+\alpha\beta=(\beta-\alpha)^2+3\alpha\beta=\frac{M}{2a}$**이므로**

$$\int_{\frac{\alpha}{2}}^{\frac{\beta}{2}}S(t)dt=\frac{11M^2}{24a}$$

한편 $22a^2\alpha\beta+33(b+c)=11(3-a)(b+c)$**이므로** $\frac{11M^2}{24a}=11(3-a)M$, **즉** $M=24a(3-a)$ **이다.**

M**은 자연수이므로** $a=1,\ 2$**이고** $b+c=48$**이다.**

$$0<h(4)-k(4)=-32a+b+c$$

이므로 $a=1$**이고** $h(x)=-x^2+b$**이고** $k(x)=x^2-c$**이다. 따라서**

$$\begin{aligned}\sum_{n=3}^{11}h(n)-\sum_{n=1}^{9}k(n)&=\sum_{n=1}^{11}\{h(n)-k(n)\}-h(1)-h(2)+k(10)+k(11)\\&=\sum_{n=1}^{11}(-2n^2+b+c)-2(b+c)+226=-354\end{aligned}$$

[문제 2]

[논제 1] $g(x)g(x+k)$**의 연속성은** $x=0$**과** $x=-k$**에서만 살펴보면 된다.**

(1) $k=0$**일 때:**

$g(x)g(x+0)=\{g(x)\}^2$**은**

$$\lim_{x\to 0-}\{g(x)\}^2=\lim_{x\to 0+}\{g(x)\}^2=\{g(0)\}^2=25$$

이므로 $x=0$**에서 연속이다.**

(2) $k\neq 0$**일 때:**

(i) $x=0$**에서의 연속성:**

$$\lim_{x\to 0-}g(x)g(x+k)=-5g(k),\quad \lim_{x\to 0+}g(x)g(x+k)=5g(k),\quad g(0)g(0+k)=5g(k)$$

이므로 $g(k)=0$**이어야 한다.**

(ii) $x=-k$**에서의 연속성:**

$$\lim_{x\to -k-}g(x)g(x+k)=-5g(-k),\quad \lim_{x\to -k+}g(x)g(x+k)=5g(-k),\quad g(-k)g(-k+k)=5g(-k)$$

이므로 $g(-k)=0$**이어야 한다.**

(i)과 (ii)에 의해 $g(k)=0=g(-k)$**인** k**의 값을 구하면** $k=-1-\sqrt{6}$, $1+\sqrt{6}$.
따라서 (1)과 (2)로부터 $k=-1-\sqrt{6}$, 0, $1+\sqrt{6}$

[논제 2]
$f(x)=x^3-3x^2-3mx+5$**는 극댓값과 극솟값을 모두 가지므로**
$f'(x)=3x^2-6x-3m=0$**은 서로 다른 두 실근** $x=1\pm\sqrt{1+m}$**을 가진다.**
$-2<1-\sqrt{1+m}<-\frac{1}{2}$**이므로** $\frac{5}{4}<m<8$**이고,** $1<1+\sqrt{1+m}<3$**이므로** $-1<m<3$**이다. 따라서** $\frac{5}{4}<m<3$**이다. 그러므로** $m=2$**이고** $f(x)=x^3-3x^2-6x+5$**이다.**
조건 (1)에 의해 $0\le x\le 2$**일 때** $h(x)=2x^3-6x^2-12x+10$**이므로**

$$\int_0^2 h(x)dx=-12$$

이고 조건 (2)과 (3)에 의해

$$\int_2^4 h(x)dx=\int_{-2}^0 h(x)dx=\int_0^2 h(x)dx=-12$$

이므로

$$\int_0^4 h(x)dx=-24$$

따라서

$$\int_0^{33} h(x)dx=\int_0^{32} h(x)dx+\int_{32}^{33} h(x)dx=8\int_0^4 h(x)dx+\int_0^1 h(x)dx=-\frac{379}{2}$$

4. 2023학년도 단국대 수시 논술 (오전)

[문제 1]
[논제 1]과 [논제 2]에서 함수 $f(x)$는 실수 전체의 집합에서 연속이고 다음 조건을 만족시킨다.

> 모든 실수 x에 대하여 $(f(x)-3)(f(x)+3)\left(2f(x)-x^3+a^2x\right)=0$
> (단, a는 상수이고 $a>0$)

[논제 1] 방정식 $f(x)=0$의 실근이 1개이고 함수 $f(x)$의 최댓값과 최솟값의 합이 24일 때, a의 값을 구하시오. (15점)

[논제 2] 실수 k에 대하여 직선 $y=a^2(x-k)$와 함수 $f(x)$의 그래프가 만나는 서로 다른 점의 개수를 $g(k)$라 하자. 함수 $f(x)$가 다음 조건을 만족시킬 때, $f(-2a)+f\left(-\frac{a}{2}\right)+f(2a)$의 값을 구하시오. (20점)

(1) $\lim_{k \to -\infty} g(k) - \lim_{k \to \infty} g(k) = 2$

(2) $g(-a) = 3$

(3) $f(t) + f(-t) < 0$인 실수 t가 열린구간 $(0,\ a)$에 존재한다.

(4) $f(x)$가 미분가능하지 않은 모든 점의 x좌표 중 가장 작은 값은 -3

[논제 3] 자연수 n에 대하여

$$a_n = \frac{1}{4\pi}\int_{\pi^4}^{n^4\pi^4} \frac{\sin\sqrt[4]{x}}{\sqrt{x}}dx$$

일 때, 급수 $\sum_{n=1}^{\infty} \frac{2^{a_{2n}}}{2^{a_{2n-1}}}$의 합을 구하시오. (20점)

[문제 2]

[논제 1] 함수 $g(x)$를 $g(x) = \sin 2x$라 할 때, 자연수 n에 대하여 열린구간 $(0,\ n\pi)$에서 $\{f(g(x))\}' > 0$을 만족시키는 모든 x의 집합을

$$\{x | t_1 < x < t_2\} \cup \{x | t_3 < x < t_4\} \cup \cdots \cup \{x | t_{2p-1} < x < t_{2p}\}$$

라 하자. (단, $t_1 < t_2 < t_3 < \cdots < t_{2p}$)

$$\sum_{j=1}^{p} (t_{2j} - t_{2j-1}) = \frac{5\pi}{2}$$

일 때, n의 값을 구하시오. (20점)

[논제 2] 함수 $h(x)$를 $h(x) = \int_{-1}^{x} f(t)dt$라 할 때, 정적분

$$\int_{-1}^{1} \{f(x)\cos x + h(x)\sin x \ln\cos x - f(x)\cos x \ln\cos x\}dx$$

의 값을 구하시오. (25점)

[문제 1]

[논제 1] 조건

$$(f(x)-3)(f(x)+3)(2f(x) - x^3 + a^2x) = 0$$

에서 각각의 실수 x에 대하여

$$f(x) = 3 \text{ 또는 } f(x) = -3 \text{ 또는 } f(x) = \frac{1}{2}x(x-a)(x+a)$$

$f_0(x) = \frac{1}{2}x(x-a)(x+a)$**라 하자. 함수 $f(x)$의 그래프가 x축과 만나는 점이 1개이고 함수 $f(x)$의 최댓값과 최솟값의 합이 양수이므로**

1) $\lim_{x \to -\infty} f(x) = -3,\ \lim_{x \to \infty} f(x) = 3$**이고 $f_0(x)$의 극댓값이 3보다 크거나**

2) $\lim_{x \to -\infty} f(x) = 3,\ \lim_{x \to \infty} f(x) = -3$**이고 $f_0(x)$의 극댓값이 3보다 커야 한다.**

$f_0(x)$는 극댓값 $f_0\left(-\frac{a}{\sqrt{3}}\right)=\frac{\sqrt{3}}{9}a^3$을 갖고 위의 1)과 2)에 의하여 함수 $f(x)$의 최댓값은 $f_0(x)$의 극댓값인 $\frac{\sqrt{3}}{9}a^3$이다.

이때 함수 $f(x)$의 최솟값은 -3이므로 $\frac{\sqrt{3}}{9}a^3+(-3)=24$이고, $a=3\sqrt{3}$

[논제 2] 함수 $f(x)$에 따른 $g(k)$의 값을 살펴보면,

1) $\lim_{x\to-\infty} f(x)=-\infty$, $\lim_{x\to\infty} f(x)=\infty$일 때 : $\lim_{k\to-\infty} g(k)=\lim_{k\to\infty} g(k)=1$

2) $\lim_{x\to-\infty} f(x)=-\infty$, $\lim_{x\to\infty} f(x)=\pm3$일 때 : $\lim_{k\to-\infty} g(k)=0$, $\lim_{k\to\infty} g(k)=2$

3) $\lim_{x\to-\infty} f(x)=\pm3$, $\lim_{x\to\infty} f(x)=\pm3$일 때 : $\lim_{k\to-\infty} g(k)=\lim_{k\to\infty} g(k)=1$

4) $\lim_{x\to-\infty} f(x)=\pm3$, $\lim_{x\to\infty} f(x)=\infty$일 때 : $\lim_{k\to-\infty} g(k)=2$, $\lim_{k\to\infty} g(k)=0$

조건 (1)에 의해 가능한 경우는 위의 4) 뿐이고,

$\lim_{x\to-\infty} f(x)=3$인 경우 $g(-a)=2$,

$\lim_{x\to-\infty} f(x)=-3$인 경우 $g(-a)=3$이므로

$$\lim_{x\to-\infty} f(x)=-3$$

위의 사실과 조건 (3)에 의해 함수 $f(x)$의 그래프는 다음과 같다.

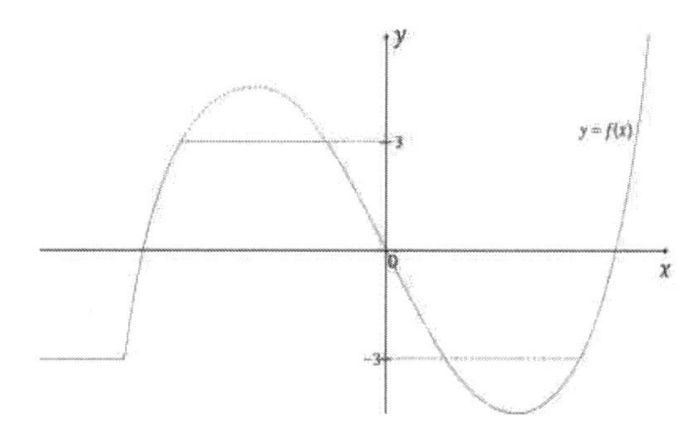

조건 (4)로부터 점 $(-3,\ -3)$은 직선 $y=-3$과 곡선 $y=\frac{1}{2}x(x-a)(x+a)$의 교점이다.

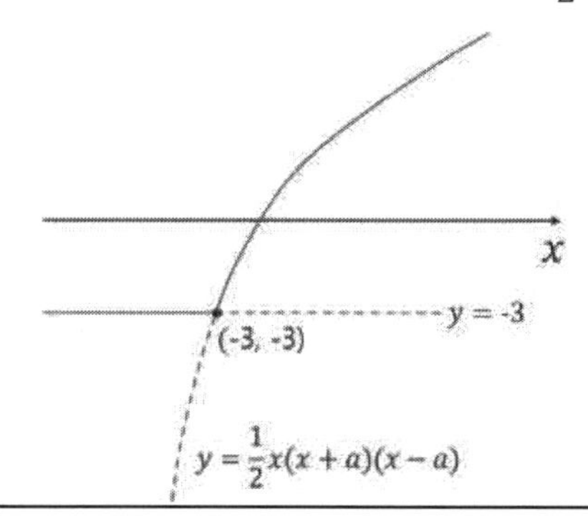

$-3=\frac{1}{2}(-3)(-3-a)(-3+a)$**로부터** $a=\sqrt{7}$. **따라서**

$$f(x)=\begin{cases} -3 & (x<-3) \\ \frac{1}{2}x(x-\sqrt{7})(x+\sqrt{7}) & (-3\le x<-2) \\ 3 & (-2\le x<-1) \\ \frac{1}{2}x(x-\sqrt{7})(x+\sqrt{7}) & (x\ge -1) \end{cases}$$

이므로 $f(-2a)+f\left(-\frac{a}{2}\right)+f(2a)=21\sqrt{7}$

[논제 3] $x=t^4$**이라고 하면** $\sin\sqrt[4]{x}=\sin t$, $\sqrt{x}=t^2$, $dx=4t^3dt$. **치환적분법을 이용하면**

$$\int\frac{\sin\sqrt[4]{x}}{4\sqrt{x}}dx=\int t\sin t\,dt$$

한편 부분적분법을 이용하면

$$\int x\sin x\,dx=-x\cos x+\sin x+C\ (C\text{는 적분상수})$$

이므로

$$a_n=\frac{1}{4\pi}\int_{\pi^4}^{n^4\pi^4}\frac{\sin\sqrt[4]{u}}{\sqrt{u}}du=\frac{1}{\pi}\int_{\pi}^{n\pi}x\sin x\,dx=\frac{1}{\pi}[-x\cos x+\sin x]_{\pi}^{n\pi}=-n(-1)^n-1$$

따라서 $a_{2n-1}=2n-2$**이고** $a_{2n}=-2n-1$**이므로**

$$\sum_{n=1}^{\infty}\frac{2^{a_{2n}}}{2^{a_{2n-1}}}=\sum_{n=1}^{\infty}2^{-4n+1}=\sum_{n=1}^{\infty}\frac{1}{8}\left(\frac{1}{16}\right)^{n-1}=\frac{\frac{1}{8}}{1-\frac{1}{16}}=\frac{2}{15}$$

[문제 2]

[논제 1] $k(x)=f(g(x))$**라 하자. 그러면 함수** $k(x)$**는 미분가능하고**

$$k'(x)=2f'(\sin 2x)\cos 2x$$

$\sin 2x$**와** $\cos 2x$**의 주기는** π**이므로 열린구간** $(0,\ \pi)$**에서 조건 (1)에 의하여,**

1) $f'(\sin 2x)>0$, $\cos 2x>0$**인 경우:**

$f'(\sin 2x)>0$**이려면** $-1\le\sin 2x<0$**이어야 하므로** $\frac{\pi}{2}<x<\pi$**이고**

$\cos 2x>0$**이려면** $0<x<\frac{\pi}{4}$, $\frac{3\pi}{4}<x<\pi$**이어야 한다. 따라서** $\frac{3\pi}{4}<x<\pi$

2) $f'(\sin 2x)<0$, $\cos 2x<0$**인 경우 :**

$f'(\sin 2x)<0$**이려면** $0<\sin 2x\le 1$**이어야 하므로** $0<x<\frac{\pi}{2}$**이고**

$\cos 2x<0$**이려면** $\frac{\pi}{4}<x<\frac{3\pi}{4}$**이어야 한다. 따라서** $\frac{\pi}{4}<x<\frac{\pi}{2}$

1), 2)**로부터 열린구간** $(0,\ \pi)$**에서** $\{f(g(x))\}' > 0$**인 구간은** $\frac{\pi}{4} < x < \frac{\pi}{2}$**와** $\frac{3\pi}{4} < x < \pi$**이므로**

$$t_1 = \frac{\pi}{4},\ t_2 = \frac{\pi}{2},\ t_3 = \frac{3\pi}{4},\ t_4 = \pi$$

따라서 $(t_2 - t_1) + (t_4 - t_3) = \frac{\pi}{2}$**. 함수** $k(x)$**는 주기가** π**인 주기 함수이므로 열린구간** $(0,\ n\pi)$**에서**

$$\sum_{j=1}^{p} (t_{2j} - t_{2j-1}) = \frac{5\pi}{2}$$

이려면 $n = 5$

(참고) 조건 (1)에서 $f'(0) = 0$**이고, 조건 (3)으로부터 닫힌구간** $[-1,\ 1]$**에서 연속함수** $f'(x)$**는 감소한다. 따라서** $f'(-1) > 0$**이고** $f'(1) < 0$

[논제 2] 조건 (2)로부터 $f(-1) = -f(1)$**이므로 두 점** $(-1,\ f(-1))$**과** $(1,\ f(1))$**을 지나는 직선의 방정식을** $y = \ell(x)$**라 하면** $\ell(x) = f(1)x$**이다.**
한편 조건 (3)과 (4)에 의하여 곡선 $y = f(x)$**는 열린구간** $(-1,\ 1)$**에서는 위로 볼록하다. 따라서 직선** $y = \ell(x)$**와 곡선** $y = f(x)$**는 오직 두 점** $(-1,\ f(-1))$, $(1,\ f(1))$**에서만 만나고 닫힌구간** $[-1,\ 1]$**에서** $\ell(x) \le f(x)$**이다. 즉, 곡선** $y = f(x)$**의 개형은 다음과 같다.**

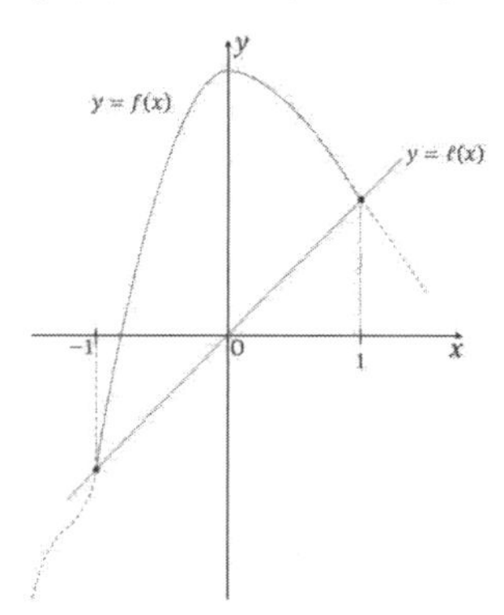

조건 (4)에 의하여

$$3 = \int_{-1}^{1} \{f(x) - \ell(x)\}dx = \int_{-1}^{1} \{f(x) - f(1)x\}dx = \int_{-1}^{1} f(x)dx$$

이므로

$$h(1) = 3 \quad \cdots\cdots\cdots\cdots\cdots\cdots (*)$$

부분적분법에 의하여

$$\int h(x)\sin x dx = \int h(x)\cos x \frac{\sin x}{\cos x} dx \quad \cdots\cdots\cdots\cdots\cdots\cdots (**)$$

$$= -h(x)\cos x \ln \cos x + \int \{f(x)\cos x - h(x)\sin x\} \ln \cos x dx$$

이고

$$\int h(x)\sin x dx = -h(x)\cos x + \int f(x)\cos x dx \cdots\cdots\cdots\cdots (***)$$

그러므로 식 (**)와 (***)에 의하여

$$\int \{f(x)\cos x + h(x)\sin x \ln\cos x - f(x)\cos x \ln\cos x\}dx$$
$$= h(x)\cos x - h(x)\cos x \ln\cos x + C$$

이므로(C는 적분상수), 식 (*)와 $h(-1)=0$에 의하여

$$\int_{-1}^{1} \{f(x)\cos x + h(x)\sin x \ln\cos x - f(x)\cos x \ln\cos x\}dx$$

$$= 3\cos 1 - 3\cos 1 \ln\cos 1$$

$$= 3\cos 1(1 - \ln\cos 1)$$

$$= 3\cos 1 \ln\frac{e}{\cos 1}$$

5. 2023학년도 단국대 수시 논술 (오후)

[문제 1]

[논제 1] $B_3\left(\frac{1}{18}, f\left(\frac{1}{18}\right)\right)$**일 때** a_1**의 값을 구하시오. (15점)**

[논제 2] 수열 $\{a_n\}$**이 등비수열임을 참고하여 A가 꼭짓점이고** R**에 포함되는 삼각형의 넓이의 최댓값을 구하시오. (20점)**

[논제 3] $a=-\frac{1}{2}$**일 때 수열** $\{a_n\}$**에 대하여**

$$b_n = \frac{1}{\ln|a_n|} + \frac{1}{\ln|a_{n+1}|} + \cdots + \frac{1}{\ln|a_{2n-1}|} = \sum_{k=n}^{2n-1} \frac{1}{\ln|a_k|}$$

이라 하자. 제시문 (다), (라)를 이용하여 $\lim_{n\to\infty} b_n$**의 값을 구하시오. (20점)**

[문제 2]

실수 전체의 집합에서 연속이고 증가하는 함수 $f(x)$는 다음 조건을 만족시킨다.

(1) 모든 실수 x에 대하여 $f(x+2)=f(x)+2$ (2) $0 \le x \le 2$인 모든 x에 대하여 $f(x)+f(2-x)=2$ (3) $\int_0^1 f(x)dx - \int_{-1}^0 f(x)dx = \frac{5}{4}$

함수 $g(x)$를 $g(x)=ae^x+b$라 하자. (단, a, b는 상수이고 $a>0$)

[논제 1] 정적분 $\int_{-1}^{4} f^{-1}(x)dx$의 값을 구하시오. (20점)

[논제 2] $g(t) \neq 0$인 각각의 실수 t마다 다음 조건을 만족시키는 점 P가 단 하나씩만 존재할 때 실수 b의 최솟값을 구하시오. (25점)

곡선 $y=g(x)$와 중심이 $(t,\ 0)$인 어떤 원 O가 점 P에서 만나고 점 P에서 곡선 $y=g(x)$와 원 O는 동시에 접하는 접선을 갖는다.

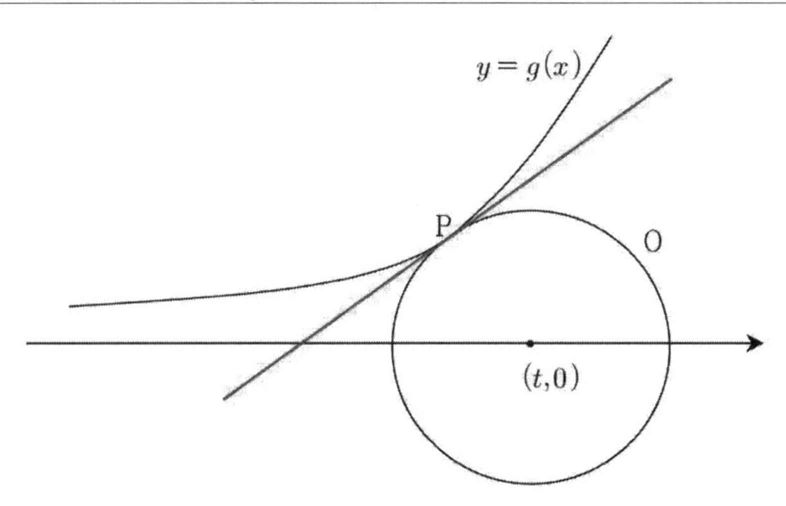

[문제 1]

[논제 1] 삼각형 $\triangle AB_2B_3$은 두 점 A와 B_2가 꼭짓점이고 R에 포함되는 삼각형 중에서 넓이가 최대인 삼각형이므로 점 B_3은 곡선 $y=f(x)$ 위의 점 중에서 선분 $\overline{AB_2}$에서 가장 멀리 있는 점이다. 그런데 제시문 (나)에 의해서 선분 $\overline{AB_2}$와 B_3가 가장 멀리 있을 때에는 선분 $\overline{AB_2}$의 기울기와 B_3에서의 접선의 기울기가 같으므로, 선분 $\overline{AB_2}$의 기울기는

$$\frac{3\left(a_2+\frac{2}{3}\right)(3a_2-1)}{a_2+\frac{2}{3}}$$

이고 $f'\left(\frac{1}{18}\right)=-4$**이므로** $a_2=-\frac{1}{9}$**을 얻는다. 마찬가지로 선분** $\overline{AB_1}$**의 기울기는** $3(1-3a_1)$**이고** $g'\left(-\frac{1}{9}\right)=1$**이므로** $a_1=\frac{2}{9}$

[논제 2] S에 내접하는 임의의 삼각형 $\triangle ABC$가 있다. 당연히 $\triangle ABC$의 넓이보다 점 A,B가 꼭짓점이고 넓이가 최대인 삼각형 $\triangle ABB_1$의 넓이가 크거나 같고, 다시 삼각형 $\triangle ABB_1$의 넓이보다 삼각형 $\triangle AB_1B_2$의 넓이가 더 크거나 같다. 이 과정을 반복해서 얻은 삼각형 $\triangle AB_nB_{n+1}$의 넓이는 삼각형 $\triangle AB_{n-1}B_n$의 넓이보다 같거나 크다.

한편 수열 $\{a_n\}$을 살펴보기 위해서 [논제 1]과 같이 접선의 기울기와 선분의 기울기의 관

계를 이용하자. 점 B_n**이** $B_n(a_n,\ f(a_n))$**과** $B_n(a_n,\ g(a_n))$**인 두 가지 경우가 있으므로 각 경우를 나누어 생각하자. 먼저** $B_n(a_n,\ f(a_n))$**이라면** ΔAB_nB_{n+1}**이 두 점** A, B_n**을 꼭짓점으로 하는 삼각형 중 넓이가 최대가 되기 위해서는 선분** $\overline{AB_n}$**의 기울기는** $y=g(x)$**의** $x=a_{n+1}$**에서의 접선의 기울기와 같아야 한다. 선분** $\overline{AB_n}$**의 기울기는**

$$\frac{3\left(a_n+\frac{2}{3}\right)(1-3a_n)}{a_n+\frac{2}{3}}$$

이고 곡선 $y=g(x)$**의** $x=a_{n+1}$**에서의 접선의 기울기는** $g'(a_{n+1})=18a_{n+1}+3$**이므로** $a_{n+1}=-\frac{1}{2}a_n$**을 얻는다. 마찬가지로** $B_n(a_n,\ g(a_n))$**인 경우에도** $a_{n+1}=-\frac{1}{2}a_n$**을 얻는다.**

따라서 수열 $\{a_n\}$**은 공비가** $-\frac{1}{2}$**인 등비수열이고,** $a_1\neq 0$**이라면 삼각형** ΔAB_nB_{n+1}**의 넓이는** n**이 증가할 때 점점 커지기 때문에 세 꼭짓점이** A, $(0,\ g(0))$, $(0,\ f(0))$**일 때 삼각형의 넓이가 가장 크다(※** $\lim_{n\to\infty}a_n=0$**). 그러므로 구하는 삼각형의 넓이의 최댓값은**

$$\frac{1}{2}\frac{2}{3}\{2-(-2)\}=\frac{4}{3}$$

[논제 2의 별해] 점 A**를 꼭짓점으로 하고** R**에 포함되는 삼각형 중에서 넓이가 최대인 삼각형을** ΔABC**라 하면, 문제에서 제시된 과정에서 얻은 점** B_1, B_2, B_3**은 (더 큰 삼각형을 만들 수 없으므로)** $\{B, C\}=\{B_1, B_2\}$, $B_3=B_1$**을 만족시킨다. 따라서 위와 마찬가지로** $a_2=-\frac{1}{2}a_1$, $-\frac{1}{2}a_2=a_3=a_1$**에서** $a_1=a_2=a_3=0$**이고,**

점 B**의** x**좌표** a**도** $a=a_1=a_2=a_3=0$**이다.**

그러므로 ΔABC**의 세 꼭짓점은** A, $(0,\ g(0))$, $(0,\ f(0))$**이고, 넓이는** $\frac{4}{3}$

[논제 3] [논제 2]에 의하여 수열 $\{a_n\}$**은 첫째항** $a_1=\frac{1}{4}$**이고 공비** $-\frac{1}{2}$**인 등비수열이므로**

$$b_n=\frac{1}{\ln 2}\sum_{k=n}^{2n-1}\frac{1}{\log_2|a_k|}=-\frac{1}{\ln 2}\sum_{k=n}^{2n-1}\frac{1}{k+1}$$

따라서 제시문 (라)에 의해서

$$\lim_{n\to\infty}b_n=-\frac{1}{\ln 2}\lim_{n\to\infty}\sum_{\ell=n}^{2n-1}\frac{1}{\ell+1}=-\frac{1}{\ln 2}\lim_{n\to\infty}\sum_{k=1}^{n}\frac{1}{\frac{k}{n}+1}\frac{1}{n}=-\frac{1}{\ln 2}\int_0^1\frac{1}{x+1}dx=-1$$

[문제 2]

[논제 1] $x=0$**일 때 조건 (1)에서** $f(2)=f(0)+2$**이고 조건 (2)에서** $f(0)+f(2)=2$**이므로** $f(0)=0$, $f(2)=2$**이다. 또,** $x=1$**일 때 조건 (2)에서** $f(1)=1$**이다. 따라서 조건 (1)에서 모든 정수** k**에 대하여**

$$f(k)=k$$

$f(x)$**가 역함수를 가지므로** $f^{-1}(-1)=-1$**이고** $f^{-1}(4)=4$**이다. 따라서**

$$\int_{-1}^{4}f(x)dx+\int_{-1}^{4}f^{-1}(x)dx=16-1=15$$

이므로

$$\int_{-1}^{4}f^{-1}(x)dx=15-\int_{-1}^{4}f(x)dx$$

그러므로 $\int_{-1}^{4}f(x)dx$**의 값을 구하면 된다. 조건 (1)에서**

$$\int_{2}^{4}f(x)dx=\int_{0}^{2}f(x+2)dx=\int_{0}^{2}\{f(x)+2\}dx=\int_{0}^{2}f(x)dx+4$$

이므로

$$\int_{-1}^{4}f(x)dx=\int_{-1}^{0}f(x)dx+2\int_{0}^{2}f(x)dx+4 \quad \cdots\cdots\cdots\cdots(*)$$

한편,

조건 (1)에서 $f(2-x)=f(-x)+2$**이고,**

조건 (2)에서 $0\le x\le 2$**일 때** $f(2-x)=2-f(x)$**이므로**

$-2\le x\le 2$**일 때** $f(x)+f(-x)=0$, **즉 원점에 대칭이다. 따라서**

$$\int_{-1}^{1}f(x)dx=0$$

이고 조건 (3)에서

$$\int_{0}^{1}f(x)dx=-\int_{-1}^{0}f(x)dx=\frac{5}{8} \cdots\cdots\cdots\cdots(**)$$

또한, 조건 (1)에서

$$\int_{1}^{2}f(x)dx=\int_{-1}^{0}f(x+2)dx=\int_{-1}^{0}\{f(x)+2\}dx=-\frac{5}{8}+2=\frac{11}{8}$$

이므로 (*)과 (**)에서

$$\int_{-1}^{4}f(x)dx=-\frac{5}{8}+2\left(\frac{5}{8}+\frac{11}{8}\right)+4=\frac{59}{8}$$

그러므로 $\int_{-1}^{4}f^{-1}(x)dx=15-\frac{59}{8}=\frac{61}{8}$

[논제 2] 점 $P(u,\ g(u))$에서 원 O의 접선이 점 $P(u,\ g(u))$에서 곡선 $y=g(x)$의 접선과 일치하므로 접선의 방정식은

$$y-g(u)=g'(u)(x-u)$$

또한, 점 P를 지나고 접선에 수직인 직선이 원 O의 중심 $(t,\ 0)$을 지나므로

$$0=-\frac{1}{g'(u)}(t-u)+g(u)$$

이고, $g(x)=ae^x+b$이므로 이를 정리하면

$$u+ae^u(ae^u+b)=t$$

문제에서 요구하는 b의 최솟값을 구하기 위해서

$$h(u)=u+ae^u(ae^u+b)$$

가 실수 전체의 집합에서 실수 전체의 집합으로 가는 일대일대응이 되도록 하는 b를 모두 찾으면 충분하다. 먼저

$$\lim_{u\to\infty}h(u)=\infty,\quad \lim_{u\to-\infty}h(u)=-\infty$$

이고 $h(u)$는 연속함수이므로 $g(t)\neq 0$인 각각의 t에 대하여 방정식 $h(u)=t$가 하나 이상의 해를 가진다. 또한, $h(u)$는 상수인 구간이 없으므로, $h(u)$가 일대일함수이기 위한 필요충분조건은 $h'(u)\geq 0$.

$$h'(u)=1+2a^2e^{2u}+abe^u$$

이므로 $h'(u)\geq 0$이기 위해서는

1) **$b\geq 0$일 때는 모든 실수 u에 대하여 $h'(u)\geq 0$,**

2) **$b<0$일 때는 $h'(u)=1+2\left(ae^u+\frac{b}{4}\right)^2-\frac{b^2}{8}$에서 $b\geq -2\sqrt{2}$는 $h'(u)\geq 0$이기 위한 필요충분조건이다.**

그러므로 b의 최솟값은 $-2\sqrt{2}$

6. 2023학년도 단국대 모의 논술

[문제 1]

[논제 1] 다음 극한값을 구하시오. (15점)

$$\lim_{n\to\infty}\frac{1}{n^3}\sum_{k=1}^{n}\sqrt{k(k+1)(k^2+3)}$$

- 최고차항의 계수가 1인 삼차함수 $f(x)$가 다음 조건을 만족시킬 때 [논제 2]와 [논제 3]의 물음에 답하시오.

(1) $f(x)$는 $x=\alpha,\ x=\beta(0<\alpha<\beta)$에서 극값을 갖는다.
(2) $f(0)=f(\beta)$
(3) $\int_0^\beta f(x)dx-\beta f(\beta)=108$

[논제 2] 함수 $f(x)$의 두 극값의 차를 구하시오. (20점)

[논제 3] 양의 실수 t에 대하여 곡선 $y=f(x)$위의 두 점 $\mathrm{P}(t,\ f(t))$, $\mathrm{Q}(3t,\ f(3t))$를 $1:3$으로 내분하는 내분점을 R라 하자. 점 R가 나타내는 곡선의 방정식을 $y=g(x)$라 하면, 함수 $g(x)$는 $x=\gamma$에서 극솟값을 갖는다.

$\int_0^{\frac{2}{3}\gamma} f(x)dx=50$일 때, 함수 $f(x)$의 극댓값을 구하시오. (20점)

[문제 2]

[논제 1] 함수 $f(x)=-(x-1)^2+1$에 대하여, 열린구간 $(1,\ 2)$에서 정의된 함수

$$g(x)=\int_0^x |f(x)-f(t)|dt$$

라 하자. $g(x)$가 $x=a$에서 극값을 가질 때, a의 값을 구하시오. (20점)

[논제 2] 양의 실수 α에 대하여 함수

$$h(x)=\alpha x^2 e^{-\frac{2x}{\alpha}}$$

라 하고, 실수 t에 대하여 $k(t)$를 닫힌구간 $[h(t),\ h(t)+\alpha]$에서 $h(x)$의 최댓값이라 하자. 함수 $k(t)$가 다음 조건을 만족시키도록 하는 α의 최댓값을 구하시오. (25점)

모든 양의 실수 t에 대하여 $k(t)$의 값이 일정하다.

(단, $\lim_{x\to-\infty} h(x)=\infty$이고 $\lim_{x\to\infty} h(x)=0$)

[문제 1]

[논제 1] 자연수 k에 대하여

$$k^4 < k(k+1)(k^2+3) < k(k+1)(k^2+4k+4) < (k^2+4k+4)^2 \text{.........}\mathbf{(A)}$$

이므로

$k^2 < \sqrt{k(k+1)(k^2+3)} < k^2+4k+4$**이고**

$$\frac{1}{n^3}\sum_{k=1}^{n} k^2 < \frac{1}{n^3}\sum_{k=1}^{n}\sqrt{k(k+1)(k^2+3)} < \frac{1}{n^3}\sum_{k=1}^{n}(k^2+4k+4)$$

따라서

$$\frac{(n+1)(2n+1)}{6n^2} < \frac{1}{n^3}\sum_{k=1}^{n}\sqrt{k(k+1)(k^2+3)} < \frac{(n+1)(2n+1)}{6n^2}+\frac{2(n+1)}{n^2}+\frac{4}{n^2}$$

이때,

$$\lim_{n\to\infty}\frac{(n+1)(2n+1)}{6n^2}=\lim_{n\to\infty}\left(\frac{(n+1)(2n+1)}{6n^2}+\frac{2(n+1)}{n^2}+\frac{4}{n^2}\right)=\frac{1}{3}$$

이고 제시문 (가)에 의하여

$$\lim_{n\to\infty}\frac{1}{n^3}\sum_{k=1}^{n}\sqrt{k(k+1)(k^2+3)}=\frac{1}{3}$$

(참고) 부등식 (A)는 다음과 같은 부등식으로 바꾸어 풀이가 가능하다.

$$k^4 < k(k+1)(k^2+3) < (k+1)^4$$

[논제 2] 함수 $f(x)$는 최고차항의 계수가 1인 삼차함수이고
조건 (1)에 의하여 $f(\alpha)$는 극댓값, $f(\beta)$는 극솟값이며 $f(\alpha) > f(\beta)$이다.
함수 $h(x) = f(x) - f(\beta)$라 하면 $h'(x) = f'(x)$이고 $h(x)$는 최고차항의 계수가 1인 삼차함수이다. 조건 (1)과 (2)에 의하여

$$h(x) = x(x-\beta)^2$$

조건 (3)에 의하여

$$108 = \int_0^\beta f(x)dx - \beta f(\beta) = \int_0^\beta h(x)dx = \int_0^\beta x(x-\beta)^2 dx = \frac{1}{12}\beta^4$$

이므로 $\beta = 6$이다. 따라서 $h(x) = x(x-6)^2$

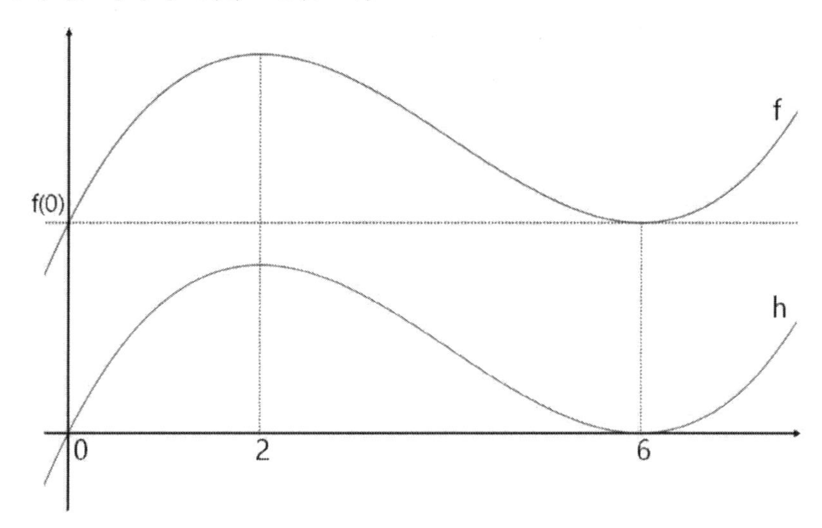

$f(2) > f(6)$이므로 두 극값의 차는 32이다.

[논제 3] 주어진 조건을 만족하는 함수 $f(x)$는

$$f(x) = x(x-6)^2 + f(6)$$

이고

$$f'(x) = 3x^2 - 24x + 36 \text{.......................}\textbf{(B)}$$

점 R의 좌표를 $(x,\ y)$라 하자. 두 점 $P(t,\ f(t))$, $Q(3t,\ f(3t))$를 $1:3$으로 내분하는 내분점은

$$\left(\frac{3t+3t}{1+3},\ \frac{f(3t)+3f(t)}{1+3}\right) = \left(\frac{3t}{2},\ \frac{f(3t)+3f(t)}{4}\right)$$

$x = \frac{3t}{2}$, $y = \frac{f(3t)+3f(t)}{4}$라 할 때 구하는 곡선의 방정식은

$$y = \frac{1}{4}f(2x) + \frac{3}{4}f\left(\frac{2}{3}x\right)$$

따라서 $g(x)=\frac{1}{4}f(2x)+\frac{3}{4}f\left(\frac{2}{3}x\right)$**이다. 한편**

$$g'(x)=\frac{1}{2}f'(2x)+\frac{1}{2}f'\left(\frac{2}{3}x\right)$$

이고 $g'(x)=0$**에서** $f'(2x)+f'\left(\frac{2}{3}x\right)=0$**이므로 식 (B)로 부터**

$$(5x-9)(x-3)=0$$

$g(x)$**는** $x=3$**에서 극솟값을 갖는다.**

$$50=\int_0^2 f(x)dx=\left[\frac{1}{4}x^4-4x^3+18x^2+f(6)x\right]_0^2=44+2f(6)$$

에서 $f(6)=3$**이고 극댓값은** $f(2)=35$**이다.**

[문제 2]

[논제 1] $0<t\le 2-x$**일 때,** $f(x)\ge f(t)$**이고** $2-x<t\le x$**일 때,** $f(x)\le f(t)$**이므로**

$$\begin{aligned} g(x)&=\int_0^{2-x}\{f(x)-f(t)\}dt+\int_{2-x}^{x}\{f(t)-f(x)\}dt \\ &=f(x)\int_0^{2-x}1dt-\int_0^{2-x}f(t)dt+\int_{2-x}^{x}f(t)dt-f(x)\int_{2-x}^{x}1dt \\ &=f(x)(2-x)-\int_0^{2-x}f(t)dt+\int_{2-x}^{x}f(t)dt-f(x)(2x-2) \end{aligned}$$

$g'(x)=2(x-1)(3x-4)$**이고 제시문 (다)에 의하여** $x=\frac{4}{3}$**에서 극값을 갖는다. 따라서**

$a=\frac{4}{3}$**이다.**

[논제 2] $h'(x)=2x(a-x)e^{-\frac{2x}{a}}$ **이므로** $h(x)$**의 증가와 감소를 표로 나타내면 다음과 같다.**

x	$\cdots$	0	$\cdots$	a	$\cdots$
$h'(x)$	-	0	+	0	-
$h(x)$	↘	0	↗	a^3e^{-2}	↘

$h(x)$**의 극솟값은** $h(0)=0$**이고 극댓값은** $h(a)=a^3e^{-2}$**이다.**

(i) $h(t)>a$**인 양의 실수** t**가 존재하는 경우:**

$a\notin[h(t),\ h(t)+a]$**이고 닫힌구간** $[h(t),\ h(t)+a]$**에서** $h(x)$**는 감소하므로** $k(t)=h(h(t))$**이다.** $h(a)>a$**이므로 곡선** $y=h(x)$**와 직선** $y=a$**의 두 교점의** x**좌표를** $t_1,\ t_2(0<t_1<t_2)$ **라 하면 (그림 1), 열린구간** $(t_1,\ t_2)$**에서** $k(t)=h(h(t))$**이고** $k(t)$**는 이 구간에서 일정한 값을 갖지 않는다.**

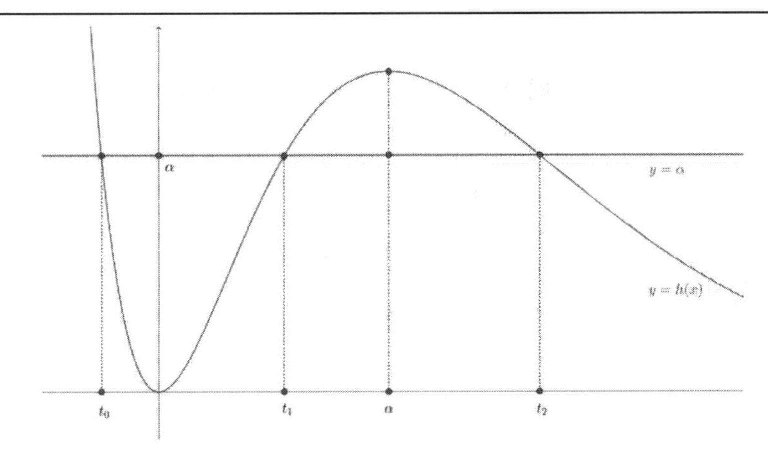

그림 1 : $h(\alpha) > \alpha$인 경우

(ii) 모든 양의 실수 t에 대하여 $0 \le h(t) \le \alpha$인 경우:

$\alpha \in [h(t),\ h(t)+\alpha]$**이므로 $k(t)$는 항상 일정한 값 $h(\alpha)$를 갖는다(그림 2). $h(\alpha)$는 극댓값이므로 $h(\alpha)=\alpha^3 e^{-2} \le \alpha$인 모든 α에 대하여 함수 $k(t)$는 문제의 조건을 만족시킨다. 따라서 최댓값은 e이다.**

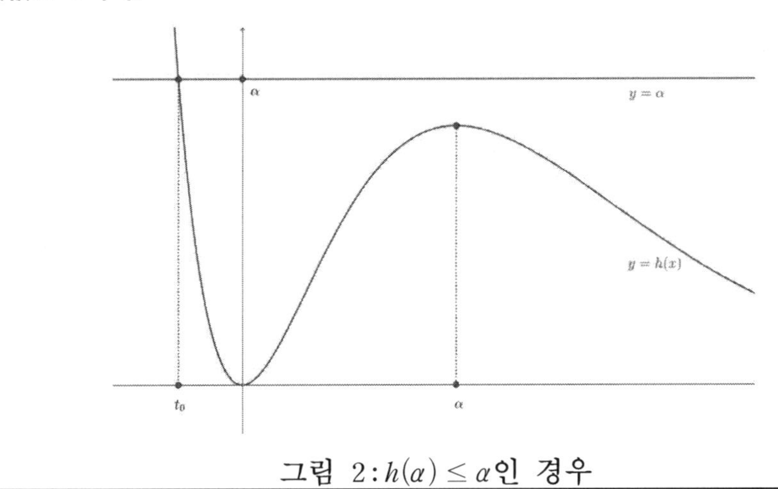

그림 2 : $h(\alpha) \le \alpha$인 경우

7. 2022학년도 단국대 수시 논술 (오전)

[문제 1]

[논제 1] 자연수 n에 대하여 두 함수 $f(x)$와 $g(x)$를 다음과 같이 정의하자.

$$f(x) = nx^2 e^{-x}, \quad g(x) = (f \circ f)(x)$$

x에 대한 방정식 $g'(x)=0$이 서로 다른 3개의 실근을 갖도록 하는 n을 모두 구하시오. (단, e는 2.7로 계산) (15점)

[논제 2] 실수 전체의 집합에서 연속인 도함수를 갖는 함수 $h(x)$가 다음 조건을 만족시킨다.

(1) $\int_1^3 h(x)dx = 9$
(2) 모든 자연수 n에 대하여 구간 $[3^n,\ 3^{n+1})$에서 $h(x) = h\left(\frac{x}{3}\right) + 1$

$\int_1^{81} (h(x) + h'(x))dx$의 값을 구하시오. (20점)

[논제 3] 모든 실수 x에 대하여 $k(x) > 0$인 연속함수 $k(x)$와 함수

$$S(x) = \int_0^x k(t)dt$$

가 두 양수 a, b에 대하여 다음 조건을 만족시킨다.

[문제 2]

[논제 1] 방정식 $e^x - |x^2 - ex| = 0$의 실근의 개수를 구하시오. (20점)

[논제 2] 최고차항의 계수가 양수인 삼차함수 $f(x)$는 다음 조건을 만족시킨다.

(1) 점 $(t,\ 0)$을 지나는 직선 ℓ이 곡선 $y = e^x$에 접할 때 접점의 x좌표를 $u(t)$라 하자. $\int_t^{u(t)} e^x dx = 1 - \frac{1}{e}$일 때 직선 ℓ은 점 $(0,\ f(0))$에서 곡선 $y = f(x)$와 접한다.
(2) $f\left(\frac{3}{2}\right) = \frac{5}{2}$
(3) 곡선 $y = f(e^x)$는 곡선 $y = e^x$와 한 점에서만 만난다.

함수 $g(x) = |f(x) - x|$가 $x = p$에서 미분가능하지 않을 때, 실수 p의 값을 구하시오. (25점)

[문제 1]

[논제 1] 주어진 자연수 n에 대하여

$$f'(x) = 2nxe^{-x} - nx^2e^{-x} = nx(2-x)e^{-x}$$

이므로 다음과 같은 증가와 감소를 나타내는 표를 얻을 수 있다.

x	$\cdots$	0	$\cdots$	2	$\cdots$
$f'(x)$	-	0	+	0	-
$f(x)$	↘	0	↗	$4ne^{-2}$	↘

즉, 극솟값은 $f(0) = 0$이고 극댓값은 $f(2) = 4ne^{-2}$이다.

한편, 합성함수 미분법에 따라

$$g'(x) = f'(f(x))f'(x)$$

이므로 방정식 $g'(x) = 0$의 해는 $f'(f(x)) = 0$의 해 또는 $f'(x) = 0$의 해이다.

(ⅰ) $f'(x) = 0$인 경우 : 위 표로부터 $x = 0$ 또는 $x = 2$이다.

(ⅱ) $f'(f(x)) = 0$인 경우 : $f(x) = 0$ 또는 $f(x) = 2$이다.

(a) $f(x) = 0$인 경우 : 함수 $f(x)$는 0이 아닌 모든 실수 x에 대하여 양수이므로, 방정식 $f(x) = 0$의 해는 $x = 0$뿐이다.

(b) $f(x)=2$**인 경우 :** $4ne^{-2}<2 \Leftrightarrow n<\dfrac{e^2}{2}=3.645$**(** $e=2.7$**로 계산) 이므로**

$n \le 3$**일 때만 방정식** $f(x)=2$**가 음의 해 하나만 가짐을 알 수 있다.**

(ⅰ)와 (ⅱ)에 의하여 $n=1,\ 2,\ 3.$

[참고 그림]

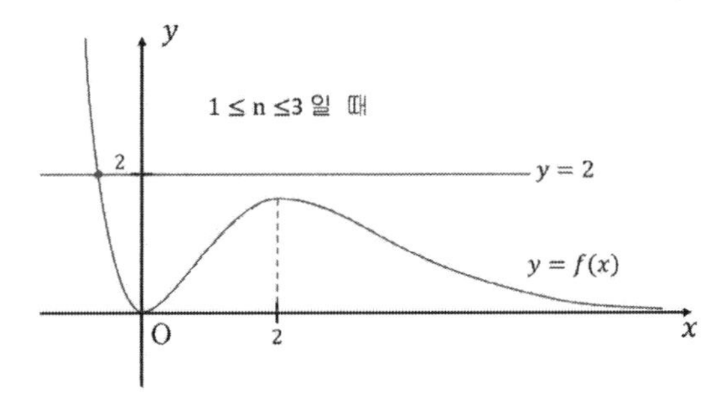

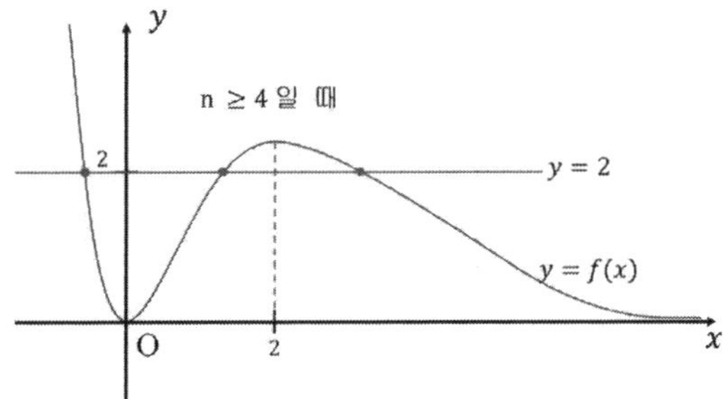

[논제 2] 조건 (2)로 부터

$$h(3^4)=h(3^3)+1=h(3^2)+2=h(3)+3=h(1)+4$$

이므로

$$\int_1^{81} h'(x)dx=h(81)-h(1)=h(3^4)-h(1)=4$$

조건 (1)에서 $\displaystyle\int_1^3 h(x)dx=9$**이므로**

$$\int_3^{3^2} h(x)dx=\int_3^{3^2}\left\{h\left(\frac{x}{3}\right)+1\right\}dx=3\int_1^3 h(t)dt+(3^2-3)=33$$

$$\int_{3^2}^{3^3} h(x)dx=\int_{3^2}^{3^3}\left\{h\left(\frac{x}{3}\right)+1\right\}dx=3\int_3^{3^2} h(t)dt+(3^3-3^2)=117$$

$$\int_{3^3}^{3^4} h(x)dx=\int_{3^3}^{3^4}\left\{h\left(\frac{x}{3}\right)+1\right\}dx=3\int_{3^2}^{3^3} h(t)dt+(3^4-3^3)=405$$

따라서

$$\int_1^{81}(h(x)+h'(x))dx$$

$$=\int_1^{3^4} h(x)dx+\int_1^{3^4} h'(x)dx$$

$$=\int_1^3 h(x)dx+\int_3^{3^2} h(x)dx+\int_{3^2}^{3^3} h(x)dx+\int_{3^3}^{3^4} h(x)dx+\int_1^{3^4} h'(x)dx$$

$$=9+33+117+405+4$$

$$=568$$

[논제 3] 조건 (1)에 의하여 $S(b)-S(a)=\int_a^b k(x)dx=3S(a)+3$**이므로**

$$S(b)=4S(a)+3 \cdots\cdots\cdots\cdots (*)$$

$S(x)=\int_0^x k(t)dt$**에서** $S'(x)=k(x)$**이므로**

$$\int_a^b \frac{S(x)e^{S(x)}}{(S(x)+1)^2}k(x)dx=\int_{S(a)}^{S(b)} \frac{ue^u}{(u+1)^2}du=\left[\frac{e^u}{u+1}\right]_{S(a)}^{S(b)}=\frac{e^{S(b)}}{S(b)+1}-\frac{e^{S(a)}}{S(a)+1}$$

이고 (*)을 이용하면

$$\int_a^b \frac{S(x)e^{S(x)}}{(S(x)+1)^2}k(x)dx=\frac{e^{4S(a)+3}}{4(S(a)+1)}-\frac{e^{S(a)}}{S(a)+1}=\frac{e^{4S(a)+3}-4e^{S(a)}}{4(S(a)+1)}$$
$$=\frac{e^{S(a)}}{4(S(a)+1)}\left(e^{3(S(a)+1)}-4\right)$$

(*)과 조건 (2)를 이용하여 다음 방정식을 얻는다.

$$\frac{e^{S(a)}}{4(S(a)+1)}\left(e^{3(S(a)+1)}-4\right)=\frac{e^{S(a)}}{4(S(a)+1)}\left(e^{6(S(a)+1)}-67e^{3(S(a)+1)}+252\right)$$

이로부터

$$\left(e^{3(S(a)+1)}-4\right)\left(e^{3(S(a)+1)}-64\right)=0$$

여기에서 $e^{3(S(a)+1)}-4>e^3-4>0$**이므로** $e^{3(S(a)+1)}=64$**이고**

$$S(a)=2\ln 2-1$$

따라서

$$S(b)=4S(a)+3=8\ln 2-1$$

[문제 2]

[논제 1] $h(x)=e^x-|x^2-ex|=e^x-|x(x-e)|$**라 하자.**

(i) $x\le 0$**일 때 :** $h(x)=e^x-x^2+ex$**이고** $h'(x)=e^x-2x+e>0$**이므로** $h(x)$**는 증가함수이고** $\lim_{x\to-\infty}h(x)=-\infty$, $h(0)=1$**이므로 방정식** $h(x)=0$**은 구간** $(-\infty,\ 0]$**에서 하나의 실근을 갖는다.**

(ii) $x\ge e$**일 때 :** $h(x)=e^x-x^2+ex$**이고** $h'(x)=e^x-2x+e$**이다.**
$h''(x)=e^x-2$**에서** $x\ge e$**일 때** $h''(x)>0$**이므로** $h'(x)$**가 증가한다.**
$h'(e)=e^e-e>0$**이므로** $x\ge e$**일 때** $h'(x)>0$, **즉** $h(x)$**가 증가한다.**
$h(e)=e^e>0$**이고** $h(x)$**가 증가함수이므로 방정식** $h(x)=0$**은 구간** $[e,\ \infty)$**에서 실근을 갖지 않는다.**

(iii) $0<x<e$**일 때 :** $h(x)=(e^x-ex)+x^2$**이다.**
e^x-ex**는** $x=1$**에서 최솟값** 0**을 가지므로** $e^x-ex\ge 0$**이고,** $x^2>0$**이므로** $h(x)>0$**이다. 따라서 방정식** $h(x)=0$**은 구간** $(0,\ e)$**에서 실근을 갖지 않는다.**

(i)~(iii)에서 방정식 $h(x)=0$**의 실근의 개수는 하나이다.**

[논제 2] $y=e^x$**위의 점** $(u(t),\ e^{u(t)})$**에서 그은 접선의 방정식은** $y=e^{u(t)}(x-u(t))+e^{u(t)}$**이고 이 직선이** x**축 위의 점** $(t,\ 0)$**을 지나므로** $u(t)=t+1$**이다. 조건 (1)에서**

$$\int_t^{u(t)} e^x dx=\int_t^{t+1} e^x dx=e^t(e-1)=1-\frac{1}{e}$$

이므로 $t=-1,\ u(t)=0$**이고 접선** ℓ**의 방정식은** $y=x+1$**이다.**

$f(x)=ax^3+bx^2+cx+d\ (a>0)$**라 할 때 곡선** $y=f(x)$**와 직선** $y=x+1$**이 점** $(0,\ 1)$**에서 접하므로** $f(0)=d=1$**이고** $f'(0)=c=1$**이다. 따라서** $f(x)=ax^3+bx^2+x+1$**이다.**

한편, 조건 (2)로부터 $b=-\frac{3}{2}a$**이므로** $f(x)=ax^3-\frac{3}{2}ax^2+x+1$**이다.**

$e^x=z$**라 하면** $z>0$**이고, 조건 (3)에서** $y=az^3-\frac{3}{2}az^2+z+1$**과** $y=z$**가 구간** $(0,\ \infty)$**에서 오직 한 점에서만 만나야 한다. 즉,** $y=az^3-\frac{3}{2}az^2+1$**과** $y=0$**이 구간** $(0,\ \infty)$**에서 오직 한 점에서 만나야 한다.**

$$\lim_{z\to 0+}\left(az^3-\frac{3}{2}az^2+1\right)=1,\quad \lim_{z\to\infty}\left(az^3-\frac{3}{2}az^2+1\right)=\infty$$

이므로 곡선 $y=az^3-\frac{3}{2}az^2+1$**과 직선** $y=0$**이 점** $(z_0,\ 0)$**에서 접하는** $z_0>0$**가 존재한다.**

따라서 $3az_0^2-3az_0=0,\ az_0^3-\frac{3}{2}az_0^2+1=0$**이어야 하므로** $z_0=1$**이고** $a=2$**이다.**

그러므로 $f(x)=2x^3-3x^2+x+1$**이다.**

함수 $g(x)=|f(x)-x|=|2x^3-3x^2+1|=|(x-1)^2(2x+1)|$**, 즉**

$$g(x)=\begin{cases}(x-1)^2(2x+1), & x\ge -\frac{1}{2}\\ -(x-1)^2(2x+1), & x<-\frac{1}{2}\end{cases}$$

따라서 $x\ne -\frac{1}{2}$**일 때는 함수** $g(x)$**가 미분가능하다. 그러나**

$$\lim_{\Delta x\to 0-}\frac{g\left(-\frac{1}{2}+\Delta x\right)-g\left(-\frac{1}{2}\right)}{\Delta x}=-\frac{9}{2},\quad \lim_{\Delta x\to 0+}\frac{g\left(-\frac{1}{2}+\Delta x\right)-g\left(-\frac{1}{2}\right)}{\Delta x}=\frac{9}{2}$$

이므로 함수 $g(x)$**는** $x=-\frac{1}{2}$**에서만 미분가능하지 않다.**

따라서 $p=-\frac{1}{2}$**이다.**

8. 2022학년도 단국대 수시 논술 (오후)

[문제 1] [논제 1] 양의 실수 전체의 집합에서 정의된 함수 $f(x) = \ln x + 2x^2 + ax + b$가 역함수를 갖고, 0이 아닌 실수 L에 대하여

$$\lim_{x \to 1}\left((f^{-1})'(x) \times \left\{\ln \frac{f^{-1}(x)}{f^{-1}(1)}\right\}^2\right) = L$$

일 때, $a+b+L$의 값을 구하시오. (단, a, b는 상수) (15점)

[논제 2] 최고차항의 계수가 1인 삼차함수 $g(x)$에 대하여 함수 $h(x) = \frac{(x-2)g'(x)}{g(x)}$와 0이 아닌 실수 c가 다음 조건을 만족시킨다.

(1) $\lim_{x \to 2} h(x) = 2$ (2) $\lim_{x \to c} h(\lvert x \rvert)$가 존재하지 않는다. (3) $g(c) = 18c$

$g(2c)$의 값을 구하시오. (20점)

[논제 3] 함수 $k(x) = x + \sin x$에 대하여 함수 $F(t)$와 상수 α, β를 다음과 같이 정의하자.

(1) $F(t) = \int_0^{\pi t} \cos(k^{-1}(y))dy$ (2) α는 $0 < t < 8$에서 $F(t)$가 극댓값인 t의 값 중 가장 큰 값 (3) β는 $0 < t < 8$에서 $F(t)$가 극솟값인 t의 값 중 가장 큰 값

$F(\beta) - F(\alpha)$의 값을 구하시오. (20점)

[문제 2]

아래 그림과 같이 좌표평면 위에 중심이 각각 $(0,\ 2)$, $(-2,\ 0)$, $(0,\ -2)$, $(2,\ 0)$이고 반지름의 길이가 1인 4개의 원 C_1, C_2, C_3, C_4와 꼭짓점이 $\left(\frac{3}{2}\pi,\ 0\right)$, $\left(\frac{3}{2}\pi,\ -\frac{\pi}{2}\right)$, $\left(\pi,\ -\frac{\pi}{2}\right)$, $(\pi,\ 0)$인 정사각형 S가 있다. 실수 $t(t \geq 0)$에 대하여 좌표평면 위를 이동하는 5개의 점 P_1, P_2, P_3, P_4, Q는 다음과 같은 규칙을 따른다.

• 좌표평면 위의 네 점 $R_1(0,\ 3)$, $R_2(-3,\ 0)$, $R_3(0,\ -3)$, $R_4(3,\ 0)$에 대하여 점 P_i는 $t=0$일 때 점 R_i를 출발하여 $t(t>0)$초 동안 원 C_i위를 시계 반대 방향으로 t만큼 이동한다. (단, $i = 1,\ 2,\ 3,\ 4$) • 점 Q는 $t=0$일 때 점 $\left(\frac{3}{2}\pi,\ 0\right)$을 출발하여 $t(t>0)$초 동안 정사각형 S위를 시계 방향으로 t만큼 이동한다.

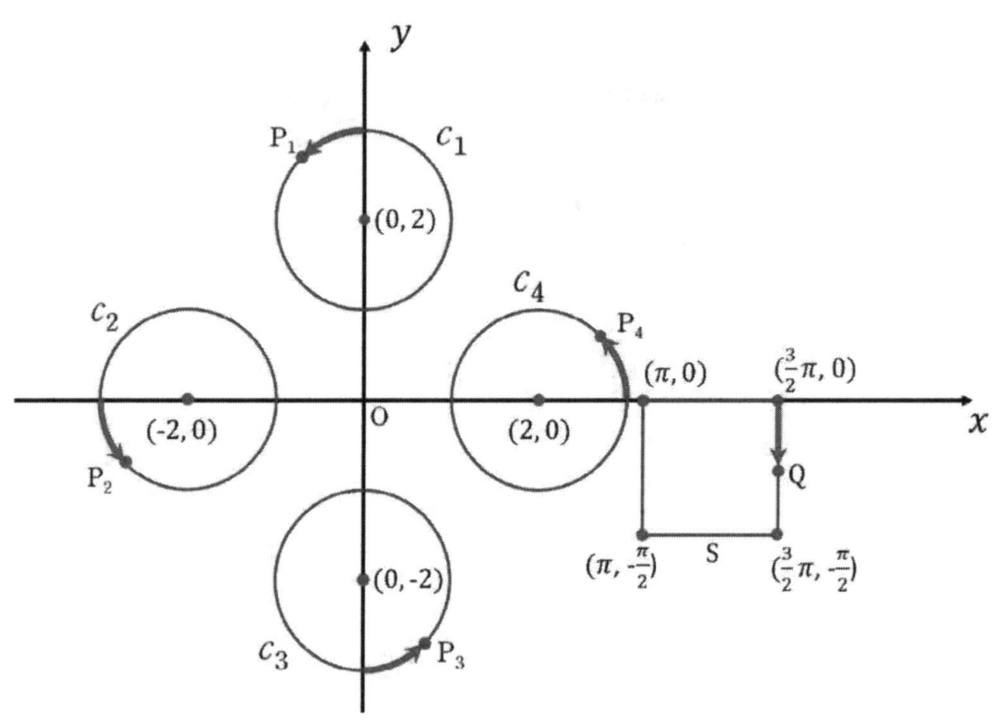

출발 후 t초가 경과했을 때,

- 두 점 P_1과 P_3사이의 거리를 $\ell(t)$
- 사각형 $P_1P_2P_3P_4$의 넓이를 $A(t)$
- 삼각형 P_1P_3Q의 무게중심의 x좌표를 $f(t)$

라 하자.

[논제 1] $a=\int_0^{\frac{\pi}{2}}(\ell(t))^4dt-40\int_0^{\frac{\pi}{2}}(\ell(t))^2dt+200\pi$**라 하자.**

$0<t<a$**에서 함수** $A(t)$**의 모든 극값의 합을 구하시오. (20점)**

[논제 2] $\int_{\frac{\pi}{2}}^{\frac{3\pi}{2}}A(t)(f(t))^2dt-10\int_0^{\pi}(f(t))^2dt$**의 값을 구하시오. (25점)**

[문제 1]

[논제 1] $f^{-1}(x)=y$**라 하면** $f(p)=1$**인 양의 실수** p**가 존재하여**

$$\lim_{x\to 1}\left((f^{-1})'(x)\times\left\{\ln\frac{f^{-1}(x)}{f^{-1}(1)}\right\}^2\right)=\lim_{y\to p}\left\{\frac{1}{f'(y)}\times\left(\ln\frac{y}{p}\right)^2\right\}=L\neq 0$$

을 만족시킨다. $\lim_{y\to p}\ln\frac{y}{p}=0$**이므로 주어진 극한이** 0**이 아닌 값으로 수렴하기 위해서는**

$$\lim_{y\to p}f'(y)=f'(p)=0$$

이다. 함수 $f(x)$**가 역함수를 가지려면 모든 양수** x**에서** $f'(x)\geq 0$**이거나 모든 양수** x**에**

서 $f'(x) \le 0$이어야 한다. 그런데 $f'(x) = \frac{1}{x} + 4x + a$에서 $\lim_{x \to \infty} f'(x) = \infty$이므로 모든 양수 x에서 $f'(x) \ge 0$이어야 한다. $f'(p) = 0$이므로 $f'(p)$는 $f'(x)$의 최솟값이다. 따라서 $f''(p) = -\frac{1}{p^2} + 4 = 0$이므로 $p = \frac{1}{2}$이다. $f'\left(\frac{1}{2}\right) = 2 + 2 + a = 0$이므로 $a = -4$이다. 또한 $f\left(\frac{1}{2}\right) = \ln\frac{1}{2} + \frac{1}{2} - 2 + b = 1$이므로 $b = \frac{5}{2} + \ln 2$이다.

$$L = \lim_{y \to \frac{1}{2}} \left\{ \frac{1}{f'(y)} \times \left(\ln\frac{y}{p} \right)^2 \right\} = \lim_{y \to \frac{1}{2}} \frac{\left(\ln y - \ln\frac{1}{2} \right)^2}{\frac{1}{y} + 4y - 4} = \lim_{y \to \frac{1}{2}} \left\{ \left(\frac{\ln y - \ln\frac{1}{2}}{y - \frac{1}{2}} \right)^2 \times \frac{y}{4} \right\} = \frac{1}{2}$$

이므로 $a + b + L = -1 + \ln 2$이다.

[논제 2] 조건 (1)에서 $\lim_{x \to 2} (x-2)\frac{g'(x)}{g(x)} = 2$이므로 $g(2) = 0$이다. 따라서 $1 \le k \le 3$인 자연수 k와 $p(2) \ne 0$인 $(3-k)$차 다항식 $p(x)$에 대하여

$$g(x) = (x-2)^k p(x)$$

$g'(x) = k(x-2)^{k-1}p(x) + (x-2)^k p'(x)$로부터

$$\begin{aligned} \lim_{x \to 2} \left\{ (x-2)\frac{g'(x)}{g(x)} \right\} &= \lim_{x \to 2} \left\{ (x-2)\frac{k(x-2)^{k-1}p(x) + (x-2)^k p'(x)}{(x-2)^k p(x)} \right\} \\ &= \lim_{x \to 2} \frac{kp(x) + (x-2)p'(x)}{p(x)} \\ &= k \end{aligned}$$

이고 $k = 2$이다. 따라서 상수 $r(r \ne -2)$에 대하여

$$g(x) = (x-2)^2(x+r) \text{............................} (*)$$

그러므로

$$h(|x|) = \frac{3|x| + 2r - 2}{|x| + r} = \begin{cases} \frac{3x + 2r - 2}{x + r}, & x \ge 0 \\ \frac{-3x + 2r - 2}{-x + r}, & x < 0 \end{cases}$$

이고 조건 (2)에 의하여 $c = r(c < 0)$ 또는 $c = -r(c > 0)$이어야 한다. 따라서 $r < 0$이어야 한다. 그런데 $c = -r$이면 $g(c) = 0$이 되므로 조건 (3)에 모순이다.
따라서 $c = r(r < 0,\ r \ne -2)$이다.

$$g(c) = g(r) = (r-2)^2(2r) = 18r$$

로부터 $c = r = -1$이고

$$g(x) = (x-2)^2(x-1)$$

그러므로 $g(2c) = g(-2) = -48$

(참고)

$(*)$은 다음과 같은 방법으로도 설명할 수 있다.

조건 (1)로부터 $g(2)=0$**이다. 따라서** 2**차 다항식** $p(x)$**에 대하여** $g(x)=(x-2)p(x)$**이다.**

$$\lim_{x\to 2}h(x)=\lim_{x\to 2}\frac{(x-2)p(x)+(x-2)^2p'(x)}{(x-2)p(x)}$$

이므로, $p(2)\neq 0$**이면 위의 극한값이** 1**이 되어 조건 (1)에 맞지 않는다.**

따라서 $p(2)=0$**이고** 1**차 다항식** $q(x)$**에 대하여** $g(x)=(x-2)^2q(x)$**이다.**

$$\lim_{x\to 2}h(x)=\lim_{x\to 2}\frac{2(x-2)^2q(x)+(x-2)^3q'(x)}{(x-2)^2q(x)}$$

이고 $q(2)=0$**이면 위의 극한값은** 3**이 되어 조건 (1)에 맞지 않는다.**

그러므로 $g(x)=(x-2)^2(x+r),\quad (r\neq -2)$**이다.**

[논제 3] 함수 $F(t)$**를 미분하면,**

$$F'(t)=\pi\cos\left(k^{-1}(\pi t)\right)\cdots\cdots\cdots(**)$$

그런데 $k'(x)=1+\cos x\geq 0$**이므로 함수** $k(x)$**는 증가함수이고** $k^{-1}(x)$**도 증가함수이다.**

따라서 $t\in(0,\ 8)$**이면** $k^{-1}(\pi t)\in(0,\ 8\pi)$**이므로 $(**)$에서**

$$k^{-1}(\pi t)=\frac{\pi}{2},\ \frac{3\pi}{2},\ \frac{5\pi}{2},\ \frac{7\pi}{2},\ \frac{9\pi}{2},\ \frac{11\pi}{2},\ \frac{13\pi}{2},\ \frac{15\pi}{2}\cdots\cdots\cdots(***)$$

일 때 $F'(t)=0$**이다. 또한,**

$$F''(t)=-\pi\sin\left(k^{-1}(\pi t)\right)\frac{d}{dt}k^{-1}(\pi t)$$

여기에서 $k^{-1}(\pi t)=x$**라 하면** $\pi t=k(x)=x+\sin x$**, 즉,** $\dfrac{dt}{dx}=\dfrac{1}{\pi}(1+\cos x)$**이므로**

$\dfrac{d}{dt}k^{-1}(\pi t)=\dfrac{\pi}{1+\cos\left(k^{-1}(\pi t)\right)}$**이다. 따라서**

$$F''(t)=-\frac{\pi^2\sin\left(k^{-1}(\pi t)\right)}{1+\cos\left(k^{-1}(\pi t)\right)}$$

여기에서 $(***)$를 만족시키는 t**에서는**

$$\cos\left(k^{-1}(\pi t)\right)-0$$

$$\sin\left(k^{-1}(\pi t)\right)=\begin{cases}1, & k^{-1}(\pi t)=\frac{\pi}{2},\ \frac{5\pi}{2},\ \frac{9\pi}{2},\ \frac{13\pi}{2}\\ -1, & k^{-1}(\pi t)=\frac{3\pi}{2},\ \frac{7\pi}{2},\ \frac{11\pi}{2},\ \frac{15\pi}{2}\end{cases}$$

여기에서

$k^{-1}(\pi t)=\dfrac{\pi}{2},\ \dfrac{5\pi}{2},\ \dfrac{9\pi}{2},\ \dfrac{13\pi}{2}$**이면** $F''(t)<0$**이므로 함수** $F(t)$**는 극댓값을 갖고,**

$k^{-1}(\pi t)=\frac{3\pi}{2},\ \frac{7\pi}{2},\ \frac{11\pi}{2},\ \frac{15\pi}{2}$**이면** $F''(t)>0$**이므로 함수** $F(t)$**는 극솟값을 갖는다.**

그런데 $k^{-1}(\pi t)$**는** t**의 증가함수이므로**

$$\alpha=\frac{1}{\pi}k\left(\frac{13\pi}{2}\right)=\frac{13}{2}+\frac{1}{\pi},\quad \beta=\frac{1}{\pi}k\left(\frac{15\pi}{2}\right)=\frac{15}{2}-\frac{1}{\pi}$$

따라서

$$F(\beta)-F(\alpha)=F\left(\frac{15}{2}-\frac{1}{\pi}\right)-F\left(\frac{13}{2}+\frac{1}{\pi}\right)=\int_{\frac{13}{2}\pi+1}^{\frac{15}{2}\pi-1}\cos(k^{-1}(y))dy$$

여기에서 $k^{-1}(y)=x$**로 치환하면** $y=k(x)=x+\sin x$**이므로**

$$k\left(\frac{13}{2}\pi\right)=\frac{13}{2}\pi+1,\quad k\left(\frac{15}{2}\pi\right)=\frac{15}{2}\pi-1,\quad dy=(1+\cos x)dx\text{에서}$$

$$F(\beta)-F(\alpha)=\int_{\frac{13}{2}\pi}^{\frac{15}{2}\pi}\cos x(1+\cos x)dx=\int_{\frac{13}{2}\pi}^{\frac{15}{2}\pi}\left(\cos x+\frac{\cos(2x)+1}{2}\right)dx=\frac{\pi}{2}-2$$

[문제 2]

[논제 1] 반지름이 1이므로, 호의 길이가 t**이면 중심각은** t**이다. 실수** $t\geq 0$**에 대하여 점** P_1, P_2, P_3, P_4**의 좌표는**

$P_1(-\sin t,\ 2+\cos t)$ .... **(*)**
$P_2(-2-\cos t,\ -\sin t)$
$P_3(\sin t,\ -2-\cos t)$
$P_4(2+\cos t,\ \sin t)$

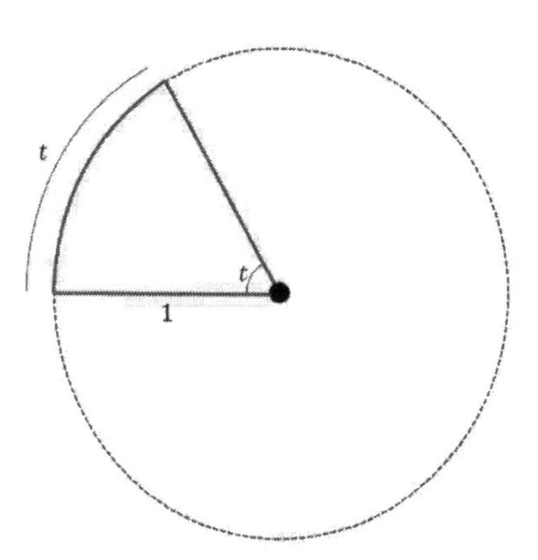

이므로 $(\ell(t))^2=(-2\sin t)^2+(4+2\cos t)^2=20+16\cos t$**이다.**

그러므로

$$a=\int_0^{\frac{\pi}{2}}((\ell(t))^2-20)^2dt=256\int_0^{\frac{\pi}{2}}\cos^2 t dt=128\int_0^{\frac{\pi}{2}}(1+\cos 2t)dt=64\pi$$

한편

$$\overline{P_1P_2}=\overline{P_2P_3}=\overline{P_3P_4}=\overline{P_1P_4}=\sqrt{(-\sin t+2+\cos t)^2+(2+\cos t+\sin t)^2}=\sqrt{10+8\cos t}$$

이므로 사각형 $P_1P_2P_3P_4$**는 모든 변의 길이가** $\sqrt{10+8\cos t}$ **이고 두 대각선은 서로를 수직 이등분한다. 또한 마찬가지 방법으로 두 대각선의 길이는**

$$\overline{P_1P_3}=\overline{P_2P_4}=\sqrt{20+16\cos t}$$

로 같으므로 사각형 $P_1P_2P_3P_4$**는 정사각형이다. 따라서** $A(t)=10+8\cos t$**이고** $A(t)$**는 미분가능한 함수이다.** $A'(t)=-8\sin t=0$**에서** $t=\pi,\ 2\pi,\ \cdots,\ 63\pi$**이다. 각 점의 좌우에서** $A'(t)$**의 부호가 바뀌므로,** $A(t)$**의 극값은**

$$A(t)=\begin{cases}18, & t=2\pi,\ 4\pi,\ \cdots,\ 62\pi\\ 2, & t=\pi,\ 3\pi,\ \cdots,\ 63\pi\end{cases}$$

그러므로 구간 $0<t<64\pi$**에서의 함수** $A(t)$**의 모든 극값의 합은** $18\times31+2\times32=622$**이다.**

[논제 2] 모든 $0\le t\le\frac{3}{2}\pi$**에 대하여 점 Q의 좌표는**

$$\begin{cases}Q\left(\frac{3\pi}{2},\ -t\right), & 0\le t\le\frac{\pi}{2}\quad \cdots\cdots\cdots\cdots\cdots(**)\\ Q\left(2\pi-t,\ -\frac{\pi}{2}\right), & \frac{\pi}{2}\le t\le\pi\\ Q\left(\pi,\ t-\frac{3\pi}{2}\right), & \pi\le t\le\frac{3\pi}{2}\end{cases}$$

그러므로, (*)과 (**)을 이용하면 함수 $f(t)$**는**

$$f(t)=\begin{cases}\frac{\pi}{2}, & 0\le t\le\frac{\pi}{2}\\ -\frac{1}{3}t+\frac{2\pi}{3}, & \frac{\pi}{2}\le t\le\pi\\ \frac{\pi}{3}, & \pi\le t\le\frac{3\pi}{2}\end{cases}$$

따라서,

$$\int_{\frac{\pi}{2}}^{\frac{3\pi}{2}}A(t)(f(t))^2dt-10\int_0^{\pi}(f(t))^2dt$$

$$=\int_{\frac{\pi}{2}}^{\pi}A(t)(f(t))^2dt+\int_{\pi}^{\frac{3\pi}{2}}A(t)(f(t))^2dt-10\int_{\frac{\pi}{2}}^{\pi}(f(t))^2dt-10\int_0^{\frac{\pi}{2}}(f(t))^2dt$$

$$=\int_{\frac{\pi}{2}}^{\pi}A(t)(f(t))^2dt-10\int_{\frac{\pi}{2}}^{\pi}(f(t))^2dt+\frac{\pi^2}{9}\int_{\pi}^{\frac{3\pi}{2}}(10+8\cos t)dt-\frac{5}{4}\pi^3$$

먼저

$$\int_{\frac{\pi}{2}}^{\pi} A(t)(f(t))^2 dt - 10\int_{\frac{\pi}{2}}^{\pi}(f(t))^2 dt$$

$$= \frac{8}{9}\int_{\frac{\pi}{2}}^{\pi}(t-2\pi)^2 \cos t dt$$

$$= \frac{8}{9}\int_{\frac{\pi}{2}}^{\pi}(t^2-4\pi t+4\pi^2)\cos t dt$$

여기서,

$$\int t^2 \cos t dt = t^2 \sin t + 2t\cos t - 2\sin t + c_1, \quad \int t\cos t dt = t\sin t + \cos t + c_2$$

이므로 (c_1, c_2**는 적분상수**)

$$\int_{\frac{\pi}{2}}^{\pi} A(t)(f(t))^2 dt - 10\int_{\frac{\pi}{2}}^{\pi}(f(t))^2 dt$$

$$= \frac{8}{9}\left[t^2 \sin t + 2t\cos t - 2\sin t\right]_{\frac{\pi}{2}}^{\pi} - \frac{32\pi}{9}\left[t\sin t + \cos t\right]_{\frac{\pi}{2}}^{\pi} + \frac{32\pi^2}{9}\left[\sin t\right]_{\frac{\pi}{2}}^{\pi}$$

$$= \frac{16}{9} + \frac{16}{9}\pi - 2\pi^2$$

또한

$$\frac{\pi^2}{9}\int_{\pi}^{\frac{3\pi}{2}}(10+8\cos t)dt = \frac{\pi^2}{9}\left(5\pi + 8\left[\sin t\right]_{\pi}^{\frac{3\pi}{2}}\right) = \frac{5}{9}\pi^3 - \frac{8}{9}\pi^2$$

그러므로

$$\int_{\frac{\pi}{2}}^{\frac{3\pi}{2}} A(t)(f(t))^2 dt - 10\int_{0}^{\pi}(f(t))^2 dt = \frac{16}{9} + \frac{16}{9}\pi - 2\pi^2 + \frac{5}{9}\pi^3 - \frac{8}{9}\pi^2 - \frac{5}{4}\pi^3$$

$$= \frac{16}{9} + \frac{16}{9}\pi - \frac{26}{9}\pi^2 - \frac{25}{36}\pi^3$$

9. 2022학년도 단국대 모의 논술

[문제 1]

• 시각 $t\left(0 \le t < \frac{1}{2}\right)$에서 ΔODP의 넓이를 $g(t)$라 하자.

[논제 1] $\overline{\mathrm{AP}} = \frac{1}{2}$인 시각 t를 모두 구하시오. (단, $0 \le t \le \frac{7}{15}$) (15점)

[논제 2] 다음 조건을 만족시키는 다항함수 $h(x)$에 대하여 $h(-1)$의 값을 구하시오. (20점)

(1) $h(x)$는 $x=a$와 $x=b(a<b)$에서 극값을 갖는다.
(2) 모든 실수 x에 대하여

$\int_1^x h(t)dt = xh(x) - 45x^4 + 44x^3 - 12x^2 - 4 + \left(\frac{2}{ab}\right)^2 \int_a^b (4-8t)g(t)dt$

[논제 3] $0 < t < \frac{4}{9}$**에서 함수** $g(t)$**가 미분가능하지 않은** t**의 값을 모두 구하시오. (20점)**

[문제 2]

실수 a**에 대하여**

$$f(x) = \frac{1}{1+e^{-x+a}}, \quad g(x) = \frac{1}{1+e^{x+a}}$$

라 하자.

[논제 1] **실수** t**에 대하여, 점** $(t,\ 0)$**을 지나고 곡선** $y = f(x)$**에 접하는 직선의 개수를** $n(t)$**라 하고 점** $(t,\ 0)$**을 지나고 곡선** $y = g(x)$**에 접하는 직선의 개수를** $m(t)$**라 하자.**

아래 조건을 만족시키는 실수 a**의 범위를 구하시오. (20점)**

모든 실수 t에 대하여 $n(t)+m(t) > 0$

[논제 2] **아래 조건을 만족시키는 다항함수** $h(x)$**를 모두 구하시오. (25점)**

(1) 모든 실수 x에 대하여 $h'(x)(h''(x) - h''(0)) \geq 0$ (2) 함수 $F(x) = h(x) - \ln f(x)$는 극값을 갖지 않는다.

[문제 1]

[논제 1] $\overline{\text{AP}} = \frac{1}{2}$**이려면 점 P가 선분 AB 또는 선분 AC의 중점에 있어야 한다. 한편,** $t = \frac{7}{15}$**일 때 P의 위치는** $f\left(\frac{7}{15}\right) = 7$**로부터 △ABC의 변을 따라 시계 반대 방향으로 두 바퀴 돌고 B에 있을 때이므로** $\overline{\text{AP}} = \frac{1}{2}$**이려면** $k = 1,\ 2,\ 3$**과** $m = 1,\ 2$**에 대하여**

$$\frac{t}{1-2t} = f(t) = 3(k-1) + \frac{1}{2} \quad \textbf{또는} \quad \frac{t}{1-2t} = f(t) = 3(m-1) + \frac{5}{2}$$

이다. 따라서 $t = \frac{1}{4},\ \frac{5}{12},\ \frac{7}{16},\ \frac{11}{24},\ \frac{13}{28}$**이다.**

[논제 2] **조건 (2)의 양변을** x**에 관하여 미분하면**

$$h(x) = h(x) + xh'(x) - 180x^3 + 132x^2 - 24x$$

이다.

$$h'(x) = 12(3x-1)(5x-2) \ \ldots\ldots\ldots\ldots\ldots\ldots\ldots .①$$

이고,

$$h(x) = 60x^3 - 66x^2 + 24x + C \ (C\text{는적분상수})\ldots\ldots\ldots ②$$

이다. 식 ①로부터 $a=\frac{1}{3}$, $b=\frac{2}{5}$**이다. 구간** $\frac{1}{3}\le t\le\frac{2}{5}$**에서** $g(t)$**를 구하자.**

$$f\left(\frac{1}{3}\right)=1,\ f\left(\frac{2}{5}\right)=2$$

이므로 점 P**는 선분** BC**위에 있다. 따라서**

$$g(t)=\frac{1}{2}\left(-\frac{1}{2}+f(t)\right)=\frac{4t-1}{4-8t}$$

이고,

$$\left(\frac{2}{ab}\right)^2\int_a^b(4-8t)g(t)dt=225\int_{\frac{1}{3}}^{\frac{2}{5}}(4t-1)dt=7$$

이다. 그러므로 조건 (2) $h(1)=10$**을 얻고, 식 (2)부터** $C=-8$**이다. 결국** $h(-1)=-158$ **이다.**

[논제 3] 먼저 닫힌구간 $\left[0,\ \frac{4}{9}\right]$**에서 점** P**가 점** A, B, C**에 위치하는 시각은 각각**

$$t=0,\ \frac{3}{7},\quad t=\frac{1}{3},\ \frac{4}{9},\quad t=\frac{2}{5}$$

이다. 이제 열린구간 $\left(0,\ \frac{4}{9}\right)$**에서** $g(t)$**를 구하자.**

(1) P**가 선분** AB **위에 있는 경우:** t**의 범위는** $0<t\le\frac{1}{3}$**과** $\frac{3}{7}\le t<\frac{4}{9}$**이다.**

$0<t\le\frac{1}{3}$**에 대하여,**

$$g(t)=\frac{1}{2}\left(1-\frac{1}{2}f(t)\right)=\frac{1}{2}-\frac{1}{4}f(t)$$

이고 $\frac{3}{7}\le t<\frac{4}{9}$**에 대하여,**

$$g(t)=\frac{1}{2}\left(1-\frac{1}{2}(f(t)-3)\right)=\frac{5}{4}-\frac{1}{4}f(t)$$

(2) P**가 선분** BC **위에 있는 경우:** t**의 범위는** $\frac{1}{3}\le t\le\frac{2}{5}$**이다. 이 때**

$$g(t)=\frac{1}{2}\left(-\frac{1}{2}+f(t)\right)=-\frac{1}{4}+\frac{1}{2}f(t)$$

(3) 점 P**가 선분** AC**위에 있는 경우:** t**의 범위는** $\frac{2}{5}\le t\le\frac{3}{7}$**이다. 이 때**

$$g(t)=\frac{1}{2}\left(\frac{5}{2}-\frac{1}{2}f(t)\right)=\frac{5}{4}-\frac{1}{4}f(t)$$

따라서,

$$G(x)=\begin{cases} \dfrac{1}{2}-\dfrac{1}{4}x, & 0<x<1 \\ -\dfrac{1}{4}+\dfrac{1}{2}x, & 1\le x<2 \\ \dfrac{5}{4}-\dfrac{1}{4}x, & 2\le x<4 \end{cases}$$

라 할 때

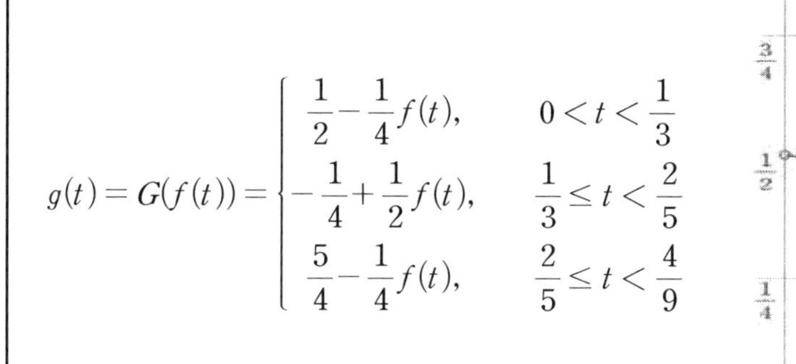

$$g(t)=G(f(t))=\begin{cases} \dfrac{1}{2}-\dfrac{1}{4}f(t), & 0<t<\dfrac{1}{3} \\ -\dfrac{1}{4}+\dfrac{1}{2}f(t), & \dfrac{1}{3}\le t<\dfrac{2}{5} \\ \dfrac{5}{4}-\dfrac{1}{4}f(t), & \dfrac{2}{5}\le t<\dfrac{4}{9} \end{cases}$$

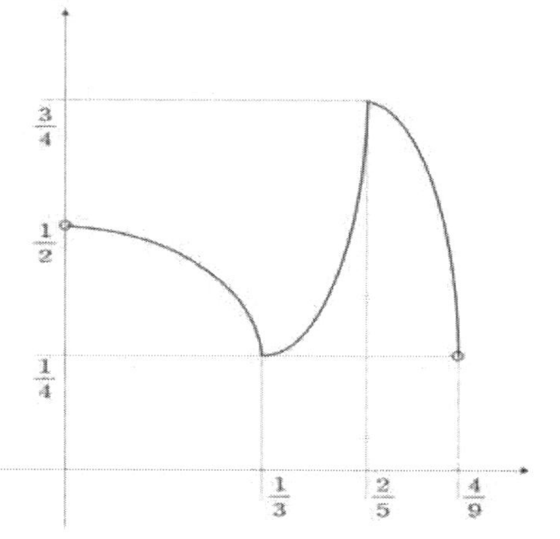

이다. 함수 $f(t)$**는 열린구간** $\left(0,\ \dfrac{4}{9}\right)$**에서 미분가능하고** $G(x)$**는** $x=1,\ 2$**를 제외한 점에서 미분가능하므로** $g(t)$**의 미분가능성은** $t=\dfrac{1}{3}$**과** $t=\dfrac{2}{5}$**에서만 조사하면 된다.**

(i) $t=\dfrac{1}{3}$**일 때,**

$$\lim_{h\to 0-}\frac{g\left(\frac{1}{3}+h\right)-g\left(\frac{1}{3}\right)}{h}=-\frac{1}{4}f'\left(\frac{1}{3}\right)\neq\frac{1}{2}f'\left(\frac{1}{3}\right)=\lim_{h\to 0+}\frac{g\left(\frac{1}{3}+h\right)-g\left(\frac{1}{3}\right)}{h}$$

이므로 $t=\dfrac{1}{3}$**에서 미분가능하지 않다.**

(ii) $t=\dfrac{2}{5}$**일 때,**

$$\lim_{h\to 0-}\frac{g\left(\frac{2}{5}+h\right)-g\left(\frac{2}{5}\right)}{h}=\frac{1}{2}f'\left(\frac{2}{5}\right)\neq-\frac{1}{4}f'\left(\frac{2}{5}\right)=\lim_{h\to 0+}\frac{g\left(\frac{2}{5}+h\right)-g\left(\frac{2}{5}\right)}{h}$$

이므로 $t=\dfrac{2}{5}$**에서 미분가능하지 않다. 따라서** $g(t)$**가 미분가능하지 않은 점은** $t=\dfrac{1}{3},\ \dfrac{2}{5}$ **이다.**

[문제 2]

[논제 1] 곡선 $y=f(x)$ 위의 점 $(s,\ f(s))$를 지나는 접선의 방정식은

$$y=\frac{e^{-s+a}}{(1+e^{-s+a})^2}(x-s)+\frac{1}{1+e^{-s+a}}$$

이다. 이 접선이 점 $(t,\ 0)$을 지나면

$$t=-e^{s-a}+s-1$$

이다. 따라서 $u(x)=-e^{x-a}+x-1$이라 하면 $n(t)$는 곡선 $y=u(x)$와 직선 $y=t$의 교점의 개수이다.

함수 $u(x)$의 증가와 감소를 표로 나타내면 다음과 같다.

	$\cdots$	$x=a$	$\cdots$
$u'(x)$	$+$	0	$-$
$u(x)$	$\nearrow$	$a-2$	$\searrow$

위 표에서 함수 $u(x)$는 $x=a$일 때 최댓값 $a-2$가 된다. 그러므로

$$n(t)=\begin{cases}0, & t>a-2\\ 1, & t=a-2 \\ 2, & t<a-2\end{cases}\qquad\cdots\cdots\cdots①$$

이다.

곡선 $y=f(x)$와 곡선 $y=g(x)$는 y축에 대칭이므로 $m(t)=n(-t)$. 따라서

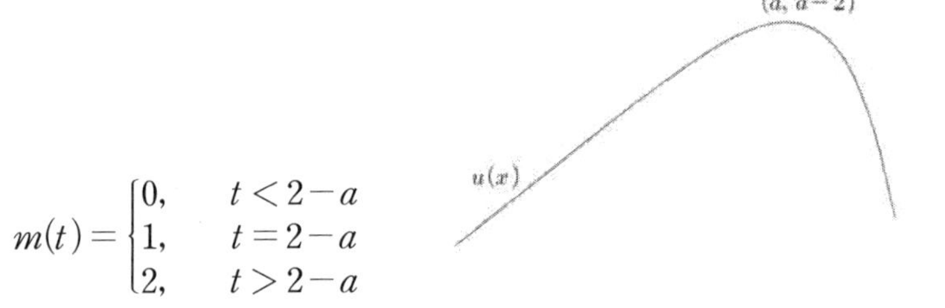

$$m(t)=\begin{cases}0, & t<2-a\\ 1, & t=2-a\\ 2, & t>2-a\end{cases}$$

이다.

$n(t)+m(t)>0$이 성립하려면 $n(t)>0$ 또는 $m(t)>0$이어야 하고, $t\le a-2$ 또는 $2-a\le t$이어야 한다. 따라서 모든 실수 t에 대하여 $n(t)+m(t)>0$이 성립하려면 $a-2\ge 2-a$, 즉 $a\ge 2$이어야 한다.

[논제 2] 먼저 $h(x)$가 삼차 이상의 다항함수인 경우에는

$$h'(x)(h''(x)-h''(0))$$

가 홀수차 다항함수이므로

$$\lim_{x\to\infty}h'(x)(h''(x)-h''(0))=\infty \text{와 } \lim_{x\to-\infty}h'(x)(h''(x)-h''(0))=-\infty$$

또는

$$\lim_{x\to\infty}h'(x)(h''(x)-h''(0))=-\infty \text{와 } \lim_{x\to-\infty}h'(x)(h''(x)-h''(0))=\infty$$

이다. 따라서 모든 실수 x에 대해 $h'(x)(h''(x)-h''(0))\ge 0$을 만족시킬 수 없다.

한편, $h(x)$가 이차 이하의 다항함수일 때에는 $h''(x)-h''(0)=0$이므로
$h'(x)(h''(x)-h''(0))\geq 0$을 만족시킨다. 그러므로 $h(x)=bx^2+cx+d$라 하자.
이제, 조건 (2)를 만족시키는 $h(x)=bx^2+cx+d$를 찾기 위해서 함수 $F(x)$의 극값을 살펴보자.

$$F'(x)=\frac{-e^{-x+a}}{1+e^{-x+a}}+2bx+c=0 \cdots\cdots\cdots\cdots ②$$

이므로, $G(x)=\dfrac{-e^{-x+a}}{1+e^{-x+a}}$라 할 때, 방정식 ②의 해는 방정식

$$G(x)=-2bx-c \cdots\cdots\cdots\cdots\cdots\cdots ③$$

의 해와 같다.

$$G'(x)=\frac{e^{-x+a}}{(1+e^{-x+a})^2}>0$$

이므로 $G(x)$는 증가함수이고,

$$\lim_{x\to\infty}G(x)=0,\quad \lim_{x\to-\infty}G(x)=-1$$

이므로

$$-1<G(x)<0$$

이다. 이를 바탕으로 $G(x)$의 그래프를 그리면 다음과 같다.

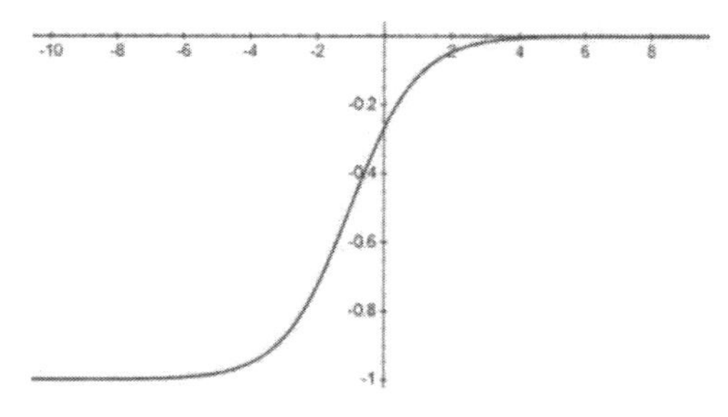

(A) $b\neq 0$일 때는 직선 $\ell: y=-2bx-c$와 곡선 $y=G(x)$가 만나는 교점이 항상 존재한다.

(i) 직선 ℓ이 곡선 $y=G(x)$에 접하지 않을 경우:
모든 교점의 좌우에서 직선 ℓ의 그래프와 곡선 $y=G(x)$의 위, 아래가 바뀌므로 식 ②의 교점의 x좌표의 좌우에서 $F'(x)$의 부호가 바뀐다. 따라서 제시문 (다)에 의하여 $F(x)$는 모든 교점의 x좌표에서 극값을 갖는다([그림 1]).

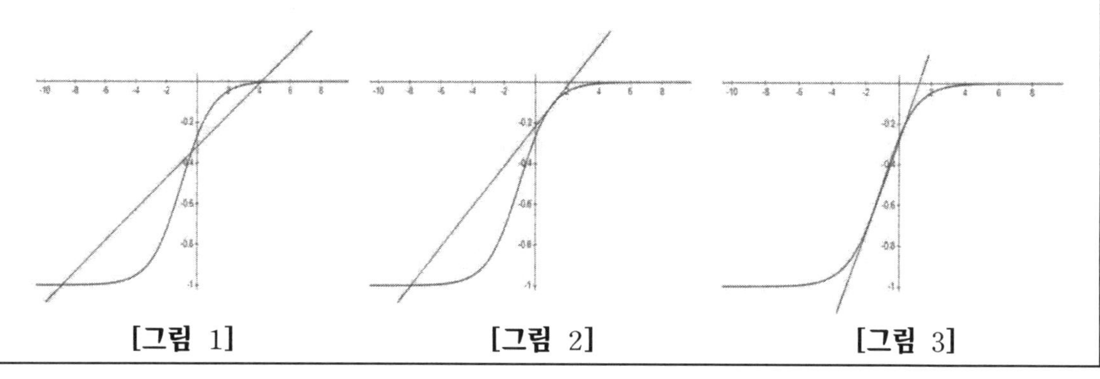

[그림 1]　　　[그림 2]　　　[그림 3]

(ⅱ) 직선 ℓ이 곡선 $y=G(x)$에 접할 경우: [논제 1]의 풀이의 식 (1)로부터 교점은 2개 또는 1개이다.

- **교점이 2개인 경우: 접하는 점이 아닌 다른 교점 (x_0, y_0)의 좌우에서 직선 ℓ과 곡선 $y=G(x)$의 위, 아래가 바뀌므로 $F'(x)$는 $x=x_0$의 좌우에서 부호가 바뀐다([그림 2]). 따라서 $F(x)$는 $x=x_0$에서 극값을 갖는다.**
- **교점이 1개인 경우: 교점의 좌우에서 $F(x)$의 그래프는 아래로 볼록에서 위로 볼록으로 바뀌므로 교점은 변곡점이고, 따라서 직선 ℓ과 곡선 $y=G(x)$의 위, 아래가 바뀐다([그림 3]). 따라서 이 경우에도 $F(x)$는 극값을 갖는다.**

따라서 $b\neq0$인 경우에는 조건 (2)를 만족시키는 다항함수 $h(x)$가 존재하지 않는다.

(B) $b=0$일 때

(ⅰ) 직선 $y=-c$와 곡선 $y=G(x)$의 교점이 존재하면 직선 $y=-c$와 곡선 $y=G(x)$의 위, 아래가 바뀐다. 따라서 이 경우에도 $F(x)$는 극값을 갖는다.

(ⅱ) 직선 $y=-c$와 곡선 $y=G(x)$의 교점이 존재하지 않으면 제시문 (나)에 의해 $F(x)$의 극값이 없다. 이때,

$$c\geq1 \text{ 또는 } c\leq0$$

그러므로 조건 (1), (2)를 만족시키는 다항함수 $h(x)$는

$$h(x)=cx+d \ (c\geq1 \text{ 또는 } c\leq0\text{이고 } d\text{는 모든 실수})$$

꼴이다.

10. 2021학년도 단국대 수시 논술 (오전)

[문제 1]

[논제 1] $\int_0^1 f(t)dt$의 값을 구하시오. (15점)

[논제 2] $-3\leq x\leq3$에서 곡선 $y=F(x)$와 x축이 한 점에서 만나도록 하는 a의 값을 모두 구하시오. (20점)

[논제 3] $g(x)=x-x^2+|x-x^2|$에 대하여

$$h(x)=16g\left(\frac{x}{4}\right)+8g\left(\frac{x}{2}-2\right)$$

라 할 때, 다음 조건을 만족시키는 실수 t의 값을 모두 구하시오. (20점)

각 t에 대하여, x에 대한 방정식 $th(x)=xh(t)$ 의 서로 다른 실근의 개수는 3이다.

[문제 1]

[논제 1] 부분적분법에 의하여

$$\int_0^1 f(t)dt = \int_0^1 2t^2 e^{-t^2}dt - \int_0^1 e^{-t^2}dt$$

$$= \int_0^1 (-t)\cdot\left(-2te^{-t^2}\right)dt - \int_0^1 e^{-t^2}dt$$

$$= \left[-te^{-t^2}\right]_0^1 + \int_0^1 e^{-t^2}dt - \int_0^1 e^{-t^2}dt = -\frac{1}{e}$$

[논제 2] $F(x) = \int_a^x f(t)dt = \int_0^x f(t)dt - \int_0^a f(t)dt$**이므로** $F_0(x) = \int_0^x f(t)dt$**라 하면**

$$F(x) = F_0(x) - F_0(a)$$

이다. $F_0(x)$**는**

(ⅰ) $-3 \le x < -1$**인 경우:**

$$F_0(x) = \int_0^{-1}(2t^2-1)e^{-t^2}dt + \int_{-1}^x \frac{1}{2e}(t+3)dt = \frac{1}{2e}\left(\frac{1}{2}x^2+3x\right)+\frac{9}{4e}$$

(ⅱ) $-1 \le x < 1$**인 경우:**

$$F_0(x) = \int_0^x f(t)dt = -xe^{-x^2}$$

(ⅲ) $1 \le x \le 3$**인 경우:**

$$F_0(x) = \int_0^1 (2t^2-1)e^{-t^2}dt + \int_1^x -\frac{1}{2e}(t-3)dt = -\frac{1}{2e}\left(\frac{1}{2}x^2-3x\right)-\frac{9}{4e}$$

함수 $F_0(x)$**의 증감표를 조사하면**

x	-3	$\cdots$	$-\frac{1}{\sqrt{2}}$	$\cdots$	$\frac{1}{\sqrt{2}}$	$\cdots$	3
$F_0{}'(x)$		$+$	0	$-$	0	$+$	
$F_0(x)$	0	$\nearrow$	$\frac{1}{\sqrt{2}}e^{-\frac{1}{2}}$	$\searrow$	$-\frac{1}{\sqrt{2}}e^{-\frac{1}{2}}$	$\nearrow$	0

이므로 함수 $F_0(x)$**의 그래프의 개형은 다음과 같다.**

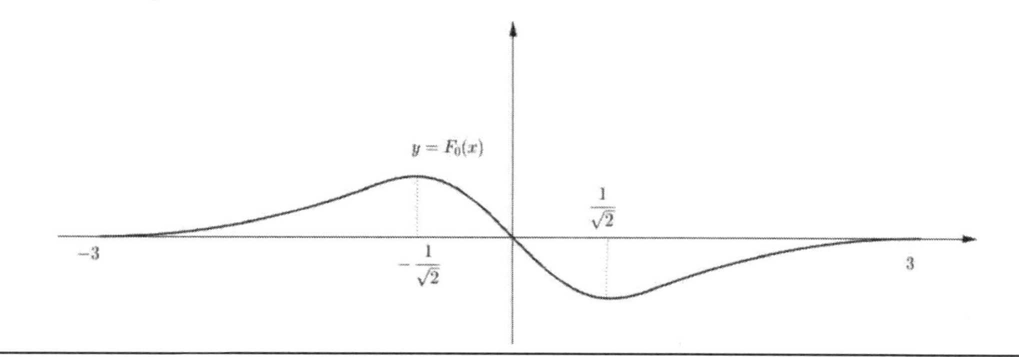

곡선 $y=F(x)$와 x축이 한 점에서 만나는 경우는 곡선 $y=F_0(x)$와 직선 $y=F_0(a)$가 한 점에서 만나는 경우와 같다. 따라서 그래프로부터 $a=\frac{\sqrt{2}}{2}$ 또는 $a=-\frac{\sqrt{2}}{2}$이다.

[논제 3] $x-x^2 \geq 0$**이면** $g(x)=2(x-x^2)$**이고** $x-x^2<0$**이면** $g(x)=0$**이므로**

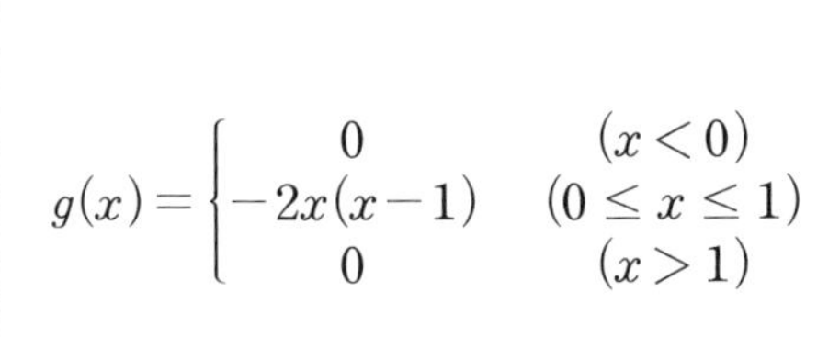

$$g(x)=\begin{cases} 0 & (x<0) \\ -2x(x-1) & (0 \leq x \leq 1) \\ 0 & (x>1) \end{cases}$$

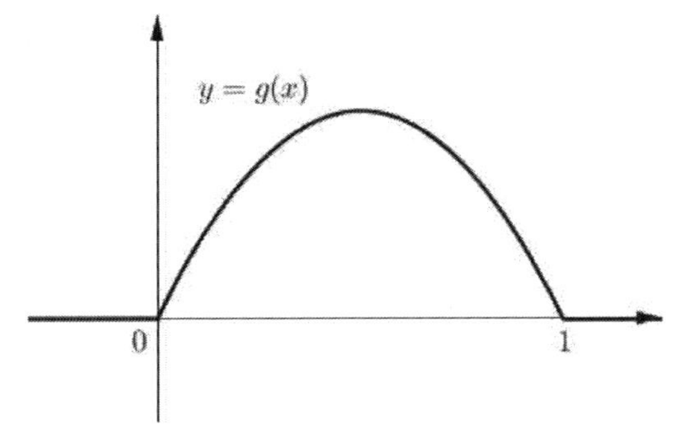

이다.

이 식으로부터,

$$16g\left(\frac{x}{4}\right)=\begin{cases} 0 & (x<0) \\ -2x(x-4) & (0 \leq x \leq 4) \\ 0 & (x>4) \end{cases} \cdots\cdots\cdots\cdots\cdots\cdots\cdots\cdots (1)$$

이고

$$8g\left(\frac{x}{2}-2\right)=\begin{cases} 0 & (x<4) \\ -4(x-4)(x-6) & (4 \leq x \leq 6) \\ 0 & (x>6) \end{cases} \cdots\cdots\cdots\cdots\cdots\cdots (2)$$

이다.

(1)과 (2)에 의하여

$$h(x)=\begin{cases} 0 & (x<0) \\ -2x(x-4) & (0 \leq x < 4) \\ -4(x-4)(x-6) & (4 \leq x \leq 6) \\ 0 & (x>6) \end{cases}$$

이다. 실수 t에 대하여, x에 대한 방정식

$$th(x)=xh(t) \cdots\cdots\cdots\cdots\cdots\cdots\cdots\cdots (3)$$

을 풀면 다음과 같다.

(i) $t=0$**이면 모든 실수 x가 방정식 (3)을 만족한다.**

(ii) $t \neq 0$**이면 x에 대한 방정식**

$$h(x)=\frac{h(t)}{t}x$$

의 실근의 개수는 곡선 $y=h(x)$와 직선 $y=\frac{h(t)}{t}x$의 교점의 개수와 같다.

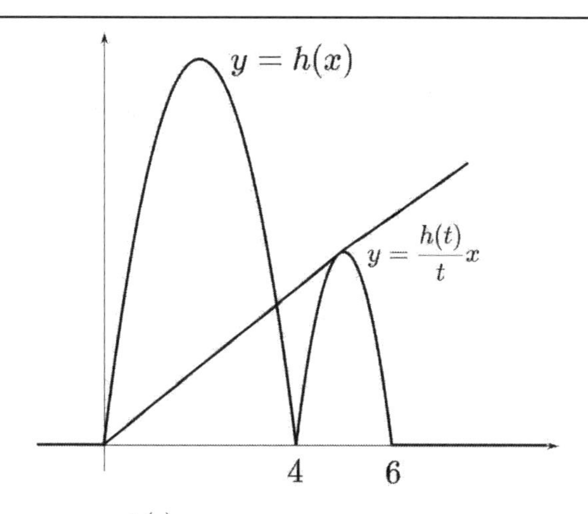

위의 그래프로부터 직선 $y=\frac{h(t)}{t}x$**와 곡선** $y=h(x)$**가 세 점에서 만나는 경우는 구간** $4\le x\le 6$**에서 직선** $y=\frac{h(t)}{t}x$**이 곡선** $y=h(x)$**의 그래프에 접하는 경우이다. 실제로, 원점을 지나는 직선이 곡선** $y=-4(x-4)(x-6)$**에 접하는 접점의** x**좌표는** $x=2\sqrt{6}$**이므로 접선의 방정식은**

$$y=(40-16\sqrt{6})x$$

이다. 또한 구간 $0\le x\le 4$**에서 직선** $y=(40-16\sqrt{6})x$**와 곡선** $y=h(x)$**가 만나는 점의** x**좌표는** $x=0$**과** $x=8\sqrt{6}-16$**이다. 결국 구하고자 하는** t**의 값은**

$$t=8\sqrt{6}-16 \text{과 } t=2\sqrt{6}$$

이다.

11. 2021학년도 단국대 수시 논술 (오후)

[문제 2]

• 음이 아닌 실수 전체의 집합에서 연속인 함수 $f(x)$는 다음 (1), (2)를 만족시킨다.

(1) $f(0)=0$

(2) $x>0$에서 $f'(x)>1$

• 함수 $g(x)$는 $f(x)$의 역함수이다.

• 함수 $h(x)$는 다음 ③, ④, ⑤를 만족시킨다.

(3) 최고차항의 계수가 양수인 삼차함수

(4) $x=1,\ 2$에서 극값을 갖고 $h(1)h(2)=0$

(5) $\int_0^3 h(x)dx=\frac{3}{2}$

$t>0$**에 대하여, 곡선** $y=f(x)$**, 곡선** $y=g(x)$
그리고 두 점 $\mathrm{P}(t,\ f(t))$**와** $\mathrm{Q}(f(t),\ t)$**를 잇는 직선으로 둘러싸인 영역의 넓이를** $A(t)$**라고 하자.**

[논제 1] $f(1)=2$이고 $\int_0^2 xg'(x)dx=1$일 때, $A(1)$의 값을 구하시오. (20점)

[논제 2] $A(2)=2\int_0^2 f(x)dx-\frac{7}{2}$일 때, $0 \le x \le 3$에서 곡선 $y=h(g(x))$와 직선 $y=\frac{1}{2}$의 교점의 개수를 구하시오. (25점)

[문제 2]

조건 (2)에 의하여 함수 $f(x)$는 증가함수이고,

$k(x)=x-f(x)$**라고 하면** $k'(x)=1-f'(x)<0$**이므로** $k(x)$**는 감소함수이다.**

따라서 $x>0$**에서**

$$x<f(x)\text{........................}(*)$$

이다.

곡선 $y=f(x)$, $y=g(x)$, $y=x$**의 위치는 그림과 같다.**

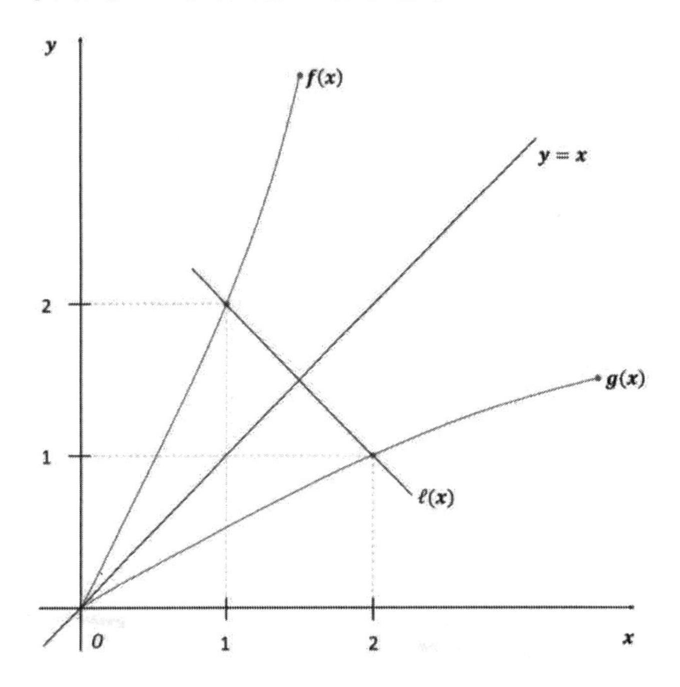

두 점 $\mathrm{P}(t,\ f(t))$**와** $\mathrm{Q}(f(t),\ t)$**를 지나는 직선의 방정식은** $\ell(x)=-x+t+f(t)$**이므로**

$$A(t)=\int_0^t (f(s)-g(s))ds+\int_t^{f(t)}(\ell(s)-g(s))ds\text{..................}(**)$$

$$=\int_0^t f(s)ds-\int_0^{f(t)}g(s)ds-\frac{1}{2}((f(t))^2-t^2)+tf(t)-t^2+(f(t))^2-tf(t)$$

$$=\int_0^t f(s)ds-\int_0^{f(t)}g(s)ds+\frac{1}{2}((f(t))^2-t^2)$$

이다. 또한 $u=g(s)$**라 치환하면** $ds=f'(u)du$**이고 부분적분법에 의하여**

$$\int_0^{f(t)}g(s)ds=\int_0^t uf'(u)du=tf(t)-\int_0^t f(u)du\text{...................}(***)$$

이다.

[문제 2]

[논제 1] (**)로 부터

$$A(1)=\int_0^1 f(s)ds-\int_0^{f(1)} g(s)ds+\frac{1}{2}((f(1))^2-1)\text{.....................}\textbf{(1.1)}$$

$$=\int_0^1 f(s)ds-\int_0^{f(1)} g(s)ds+\frac{3}{2}$$

이다. 이제 $\int_0^1 f(s)ds$**와** $\int_0^{f(1)} g(s)ds$**를 계산하자. 먼저** $g(2)=1$**이므로 부분적분법에 의하여**

$$1=\int_0^2 sg'(s)ds=2g(2)-\int_0^2 g(s)ds=2-\int_0^2 g(s)ds$$

즉

$$\int_0^{f(1)} g(s)ds=\int_0^2 g(s)ds=1\text{..............}\textbf{(1.2)}$$

이다. 또한 (***)로 부터

$$1=\int_0^{f(1)} g(s)ds=f(1)-\int_0^1 f(u)du$$

이고 $f(1)=2$**이므로**

$$\int_0^1 f(u)du=1\text{.......................}\textbf{(1.3)}$$

이다. (1.2)와 (1.3)를 (1.1)에 대입하면 $A(1)=\frac{3}{2}$**이다.**

(별해) $\int_0^2 g(s)ds=1$**이고 함수** $f(x)$**와** $g(x)$**의 그래프는 직선** $y=x$**에 대칭이므로**

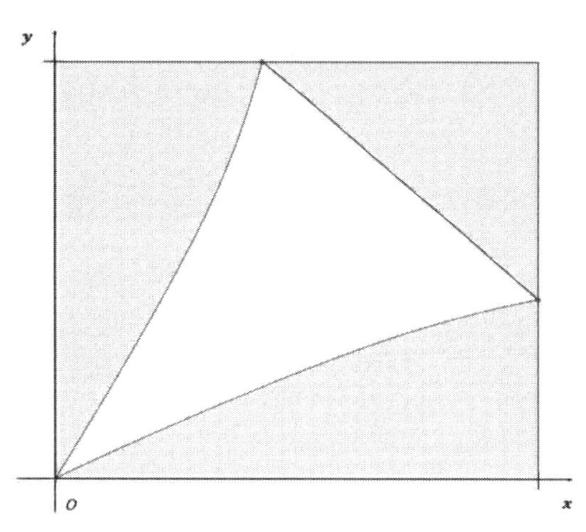

$$A(1)=(\text{사각형의넓이})-2\int_0^2 g(s)ds-(\text{삼각형의넓이})$$

$$=4-2-\frac{1}{2}=\frac{3}{2}$$

[논제 2] $h(x)$**의 최고차항의 계수를** a**라 하자. 삼차함수** $h(x)$**가** $x=1,\ 2$**에서 극값을 가지므로**

$$h'(x)=3a(x-1)(x-2)=3a(x^2-3x+2)$$

양변을 적분하면

$$h(x)=3a\left(\frac{1}{3}x^3-\frac{3}{2}x^2+2x\right)+C \ (C\text{는 적분상수})$$

이다. 조건 (4)에서 $h(x)$**의 두 개의 극값 중 하나는** 0**이므로**

$$h(1)=\frac{5}{2}a+C=0 \text{ 또는 } h(2)=2a+C=0 \text{.............}(2.1)$$

이다. 조건 (5)로부터

$$\frac{3}{2}=\int_0^3 h(x)dx=\int_0^3\left(ax^3-\frac{9}{2}ax^2+6ax+C\right)dx=\frac{27}{4}a+3C$$

이고 (2.1)에 대입하면 $a=2,\ -2$**이다.** $a>0$**이므로** $a=2$**이다. 따라서,**

$$h(x)=2x^3-9x^2+12x-4$$

이다. 문제의 조건 $A(2)=2\int_0^2 f(s)ds-\frac{7}{2}$**과 (**)로 부터**

$$\int_0^2 f(s)ds-\int_0^{f(2)}g(s)ds+\frac{1}{2}\left((f(2))^2-4\right)=2\int_0^2 f(s)ds-\frac{7}{2}$$

이다. 여기서 (***)로 부터 $\int_0^{f(2)}g(s)ds=2f(2)-\int_0^2 f(s)ds$**이므로**

$$2\int_0^2 f(s)ds-2f(2)+\frac{1}{2}\left((f(2))^2-4\right)=2\int_0^2 f(s)ds-\frac{7}{2}$$

에서 $f(2)=1,\ 3$**를 얻는다. 그런데, (*)에 의하여** $f(2)=3$**이고, 즉,** $g(3)=2$**이다.**
그러므로 $\{g(x)|0\le x\le 3\}=[0,\ 2]$**이다.**

그림과 같이 $0\le t\le 2$**에서 방정식** $h(t)=\frac{1}{2}$**의 해는** 2**개이고** $g:[0,\ 3]\to[0,\ 2]$**는 일대일 대응이므로** $0\le x\le 3$**에서 곡선** $y=h(g(x))$**와 직선** $y=\frac{1}{2}$**의 교점의 개수는** 2**이다.**

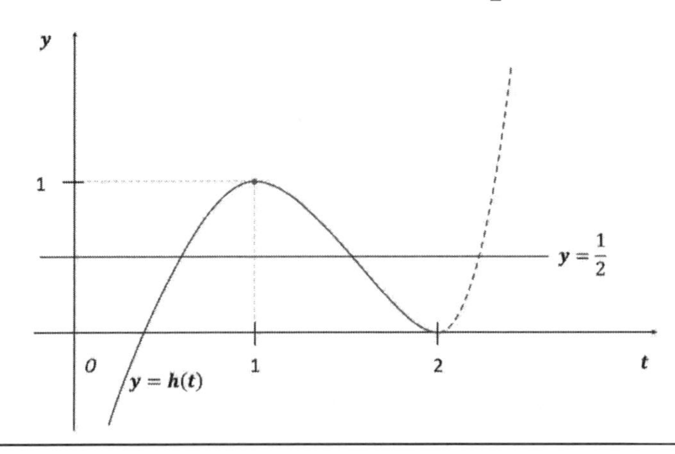

12. 2021학년도 단국대 모의 논술

[문제 1]

다항함수 $f(x)$와 함수 $g(x)=\sqrt{1-x^2}$에 대하여

(1) $f(x)$를 $f'(x)$로 나누었을 때의 몫을 $Q(x)$, 나머지를 $R(x)$라 하자.

(2) 양의 실수 m에 대하여, 직선 $y=mx$와 곡선 $y=g(x)$가 만나는 점을 P라고 하자.
점 P에서 곡선 $y=g(x)$에 접하는 직선이 x축과 만나는 점을 A, y축과 만나는 점을 B라 할 때,

- 점 A의 x좌표의 값과 점 B의 y좌표의 값 중 크지 않은 값을 반지름의 길이로 하고 중심이 P인 원의 넓이를 $C(m)$이라 하자.
- 삼각형 OAB의 넓이를 $S(m)$이라 하자. (단, O는 원점이다)

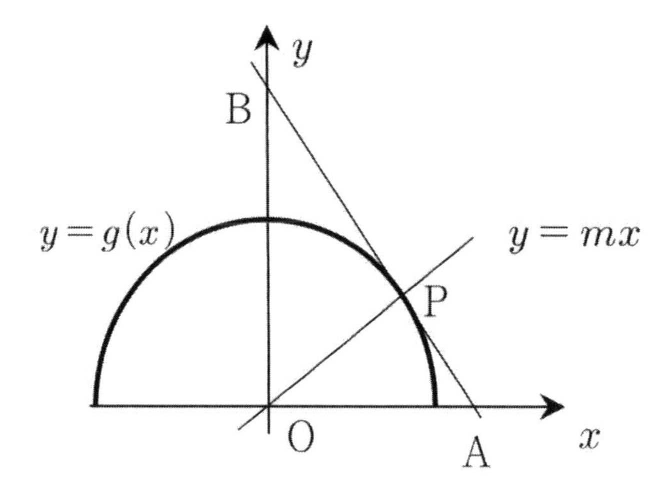

[논제 1] 다항함수 $f(x)$가 $x=x_1$, $x=x_2$, $\cdots$, $x=x_n$에서 극값을 가질 때, 점 $(x_1,\ f(x_1))$, $(x_2,\ f(x_2))$, $\cdots$, $(x_n,\ f(x_n))$은 곡선 $y=R(x)$위에 있음을 설명하시오. (15점)

[논제 2] 최고차항의 계수가 1인 삼차함수 $f(x)$에 대하여 $Q(x)$와 $R(x)$가

$$\frac{1}{\pi}\int_{1-t}^{1+t} C(m)dm = R(t) - \frac{1}{3Q(t)} - \frac{1}{3}(1-t)^3, \quad (0<t<1)$$

을 만족시킬 때, $f(1)$의 값을 구하시오. (20점)

[논제 3] $\displaystyle\int_1^2 m\ln(S(m))dm - \int_1^2 \frac{\ln(S(m))}{m^3}dm$의 값을 구하시오. (20점)

[문제 1]

[논제 1] 제시문 (가)와 조건 (1)에 의하여

$$f(x)=f'(x)Q(x)+R(x)$$

이다. $f(x)$는 $x=x_1$, $x=x_2$, $\cdots$, $x=x_n$에서 극값을 가지므로 제시문 (나)에 의하여

$$f'(x_1)=0,\ f'(x_2)=0,\ \cdots,\ f'(x_n)=0$$

이고, 따라서

$$f(x_1)=R(x_1),\ f(x_2)=R(x_2),\ \cdots,\ f(x_n)=R(x_n)$$

이다. 그러므로 점 $(x_1,\ f(x_1)),\ (x_2,\ f(x_2)),\ \cdots,\ (x_n,\ f(x_n))$**은 곡선** $y=R(x)$ **위의 점이다.**

[논제 2] 점 P**의 좌표는**

$$\mathrm{P}\left(\frac{1}{\sqrt{m^2+1}},\ \frac{m}{\sqrt{m^2+1}}\right)$$

이므로 곡선 $y=g(x)$ **위의 점** P**에서의 접선의 방정식은**

$$y-\frac{m}{\sqrt{m^2+1}}=-\frac{1}{m}\left(x-\frac{1}{\sqrt{m^2+1}}\right)$$

이다. 그러므로 $C(m)$**을 구하면**

$$C(m)=\begin{cases}\pi\dfrac{1+m^2}{m^2}, & m\ge 1\\ \pi(1+m^2), & m<1\end{cases}$$

이다. 문제의 조건에 의하여

$$\begin{aligned}R(t)-\frac{1}{3Q(t)}-\frac{1}{3}(1-t)^3&=\frac{1}{\pi}\int_{1-t}^{1+t}C(m)dm\\ &=\int_{1-t}^{1}(1+m^2)dm+\int_{1}^{1+t}\frac{1+m^2}{m^2}dm\\ &=\left[m+\frac{1}{3}m^3\right]_{1-t}^{1}+\left[-\frac{1}{m}+m\right]_{1}^{1+t}\\ &=\frac{4}{3}-\frac{1}{3}(1-t)^3+2t-\frac{1}{1+t}\end{aligned}$$

이므로

$$R(t)-\frac{4}{3}-2t=\frac{1}{3Q(t)}-\frac{1}{1+t}$$

이다. 따라서

$$Q(t)=\frac{1}{3}(t+1),\quad R(t)=\frac{4}{3}+2t$$

이다. $f(x)=x^3+a_2x^2+a_1x+a_0$**라 하면** $f'(x)=3x^2+2a_2x+a_1$**이고**

$$x^3+a_2x^2+a_1x+a_0=(3x^2+2a_2x+a_1)\left(\frac{x+1}{3}\right)+\frac{4}{3}+2x$$

에서 $a_2=3,\ a_1=6,\ a_0=\dfrac{10}{3}$**을 얻는다. 따라서,**

$$f(x) = x^3 + 3x^2 + 6x + \frac{10}{3}$$

이고 $f(1) = \frac{40}{3}$ **이다.**

[논제 3] **삼각형** OAB**의 넓이** $S(m)$**은**

$$S(m) = \frac{1+m^2}{2m}$$

이고

$$S'(m) = \frac{2m \times 2m - (1+m^2)2}{4m^2} = \frac{m^2-1}{2m^2}$$

이다. $u = S(m)$**으로 치환하면**

$$S(1) = 1,\ \ S(2) = \frac{5}{4}$$

이고

$$du = S'(m)dm = \frac{m^2-1}{2m^2}dm$$

이므로 제시문 (다)와 (라)에 의하여

$$\begin{aligned}\int_1^2 m\ln(S(m))dm - \int_1^2 \frac{\ln(S(m))}{m^3}dm &= \int_1^2 \frac{m^4-1}{m^3}\ln(S(m))dm \\ &= 4\int_1^{\frac{5}{4}} u\ln u du \\ &= 2\left[u^2\ln u\right]_1^{\frac{5}{4}} - 2\int_1^{\frac{5}{4}} u du \\ &= \frac{25}{8}\ln\left(\frac{5}{4}\right) - \frac{9}{16}\end{aligned}$$

얻는다.